W.i.t.c.h
Will Irma Taranee Cornelia Hay Lin

W.i.t.c.h
La lumière de Meridian
W.i.t.c.h
Les roses noires de Phobos
W.i.t.c.h
Les quatre dragons
W.i.t.c.h
Un pont entre deux mondes

La couronne de Lumière

Adapté par ELIZABETH LENHARD

Paru sous le titre original : *The Return of a Queen*

Publié par Presses Aventure, une division de
LES PUBLICATIONS MODUS VIVENDI INC.,
55, rue Jean-Talon Ouest, 2e étage,
Montréal (Québec)
H2R 2W8

Dépôt légal – Bibliothèque et Archives nationales du Québec, 2007
Dépôt légal – Bibliothèque et Archives Canada, 2007

ISBN 13 : 978-2-89543-555-6

KANDRAKAR.
Créé, il y a longtemps...
... pour surveiller les mondes et autres dimensions.
Jamais l'oracle ne s'y est soustrait.
Ses yeux ont observé des milliards de vies sans que rien ne le perturbe.
Mais un fait nouveau s'est produit ! Une ride est apparue sur son front.
Pour la première fois, l'oracle est préoccupé.

QUELQUE CHOSE NE VA PAS, ORACLE ?
C'EST LA MURAILLE, TIBOR ! JAMAIS ELLE NE FUT AUSSI FRAGILE. JE NE COMPRENDS PAS POURQUOI !
LES GARDIENNES NE SONT PAS EN CAUSE. ELLES S'ACQUITTENT DE LEUR TÂCHE, MALGRÉ DES MÉTHODES AVENTUREUSES !
PEU DE PASSAGES RESTENT OUVERTS DANS LA BARRIÈRE AUTOUR DU NON-LIEU. LE VRAI PROBLÈME EST À L'INTÉRIEUR !
MÉRIDIAN EST EN ÉBULLITION ! UN ÉQUILIBRE QUI A TROP DURÉ EST SUR LE POINT DE BASCULER !
JE VIENS D'ANNONCER L'ARRIVÉE D'UNE FORCE SUPÉRIEURE À CELLE DE PHOBOS ! IL S'AGIT D'ELYON !
ELLE S'APPRÊTE À PRENDRE SA DÉCISION !
OUI... ET C'EST JUSTEMENT CELA QUI M'EFFRAIE !

À MÉRIDIAN.
AVEZ-VOUS CHOISI, ALTESSE ?
IMPOSSIBLE ! VOS ROBES SONT PLUS BELLES LES UNES QUE LES AUTRES ! TROP BELLES !
UN JOUR SPÉCIAL EXIGE UNE TENUE À PART !
VOTRE COURONNEMENT SERA UN JOUR MÉMORABLE POUR NOTRE CITÉ !
J'AI JUSQU'À DEMAIN POUR Y PENSER, MAÎTRE JINK !
SI TU VEUX MON AVIS...
JE NE T'AI RIEN DEMANDÉ. OÙ EST MON FRÈRE ?
LE PRINCE PHOBOS EST EN RÉUNION AVEC SES MURMURANTS !
JE VOIS.
AU FAIT, CÉDRIC...
... DEPUIS PEU, TU ME VOUVOIES EN PUBLIC ET TU M'APPELLES ALTESSE...
TON RANG EXIGE DES MARQUES DE RESPECT !
BIEN ! ALORS, JE TE PRIE DE LES APPLIQUER AUSSI EN PRIVÉ !
EUH... CERTES ! JE VOUS DOIS OBÉISSANCE !

CEPENDANT, UNE RÉUNION SE TIENT CHEZ MADAME RUDOLF.
PAS DE PETITS FOURS, CETTE FOIS, MADAME ?
NON, MESDEMOISELLES ! CETTE RÉUNION EST DIFFÉRENTE ! J'AI DES NOUVELLES ALARMANTES DE MÉRIDIAN !
TU NE PENSES QU'À T'EMPIFFRER !
COMMENT LES AVEZ-VOUS EUES ? Y ÊTES-VOUS RETOURNÉE ?
ON VOUS ÉCOUTE, MADAME !
JE SUIS EN CONTACT PSYCHIQUE AVEC DES AMIS QUI Y SONT ENCORE ! ON LEUR A ANNONCÉ LE COURONNEMENT D'ELYON !
NOTRE AMIE FAIT CARRIÈRE ! MOI QUI NE CONNAISSAIS PAS DE PRINCESSE !
CE QU'ON M'A DIT NE M'A GUÈRE PLU !

LA VILLE EST DANS L'ATTENTE ! LE PEUPLE DE MÉRIDIAN, ET LES REBELLES ESPÈRENT BEAUCOUP D'ELYON.
VOUS CRAIGNEZ QUE PHOBOS LUI AIT TENDU UN PIÈGE. C'EST ÇA ?
OUI, WILL ! LE PRINCE EST CRUEL ET ASSOIFFÉ DE POUVOIR ! JAMAIS IL NE CÉDERAIT LE TRÔNE À SA SŒUR !
MOI, JE ME DISPUTE BIEN AVEC MON FRÈRE POUR M'ASSEOIR DEVANT, EN VOITURE !
DANS CE CAS, POURQUOI FAVORISERAIT-IL SON COURONNEMENT ?
C'EST CE QUI M'INQUIÈTE ! ELYON DEVRAIT RESTER SUR SES GARDES !
VOTRE AMIE EST SEULE ET ELLE SUBIT L'INFLUENCE DE SON FRÈRE PHOBOS ET DE CÉDRIC...
MOINS QUE VOUS LE CROYEZ ! ELLE A CHANGÉ !
C'EST JUSTEMENT CE QUI A ALERTÉ LE PRINCE ! CE COURONNEMENT EST BIEN PRÉCIPITÉ !
QUE FAIRE, ALORS ?
SURVEILLEZ ELYON ! EMPÊCHEZ À TOUT PRIX QU'ON LUI FASSE DU MAL !

"C'EST VOTRE MISSION !"
ELLE N'AVAIT PAS UNE MISSION PLUS FACILE ? ON A ASSEZ D'ENNUIS AVEC CE QUI RESTE DES DOUZE PORTES !
ÇA DEVIENT UN PROBLÈME SECONDAIRE, IRMA ! SI MÉRIDIAN EXPLOSE...
... LA BARRIÈRE POURRAIT S'EFFONDRER ! UNE RÉVOLTE OU UNE GUERRE BOULEVERSERAIT TOUT !
LAISSE-MOI DEVINER : ON VA RETOURNER À MONSTROPOLIS ?
JE LE CRAINS. SI SEULEMENT ON SAVAIT PAR OÙ Y ALLER !
COMMENT FAIRE, SANS LA CARTE DE GRAND-MÈRE ?
IL RESTE LA PORTE DE LA MAISON D'ELYON !
IL NE FAUT PAS ATTIRER L'ATTENTION ? LES DEUX AGENTS SONT TOUJOURS À NOS TROUSSES !
AH ! CES POTS DE COLLE ! ILS ONT PLANTÉ LEUR TENTE DEVANT SA MAISON !
ET S'ILS DÉCOUVRAIENT LE SOUTERRAIN SECRET ?
AVEC LE MUR QUE J'AI CRÉÉ ? JE VOUS GARANTIS QUE C'EST IMPOSSIBLE !

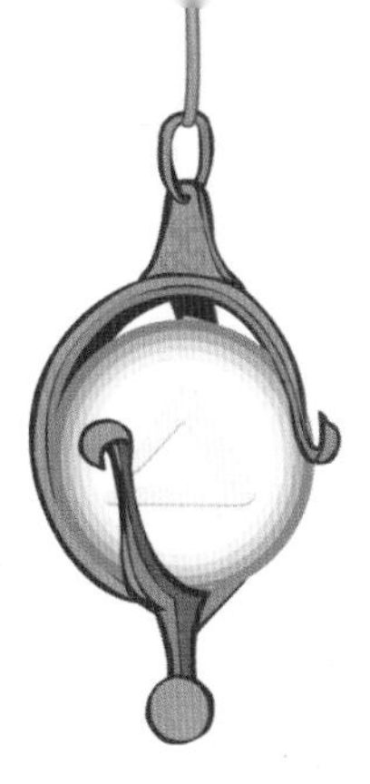

Le brigadier Lair était préoccupé. Ce matin-là, de bonne heure, il descendait en hâte une rue d'Heatherfield. Il songeait, non pas à sa fille Irma, mais à son amie, Elyon Brown. Sa disparition mystérieuse ne cessait de l'intriguer. Il était bien décidé à résoudre cette énigme.

Arrivé devant la maison des Brown, des souvenirs lui revinrent. Il avait souvent déposé Irma ici. Elyon était une enfant très calme, qui adorait dessiner, se rappelait-il en introduisant une clé dans la serrure de la porte d'entrée. Il parcourut du regard la salle de séjour. De toutes les affaires dont il s'était occupé, cette disparition, qui avait eu lieu si près de chez lui, était la plus troublante.

Plus il arpentait la pièce vide, plus il avait du mal à comprendre ce qui s'était passé. On ne voyait aucune trace de cambriolage, ni d'un quelconque vandalisme.

« À première vue, se disait-il, tout paraît normal. C'est ça qui est incroyable ! Une famille entière se volatilise sans laisser la moindre trace, ni à l'intérieur, ni à l'extérieur de cette maison. Personne ne semble avoir remarqué leur disparition ! On dirait que ces gens ont surgi de nulle part, et sont repartis on ne sait où, tout aussi mystérieusement. »

En inspectant le salon, les yeux du brigadier tombèrent sur une photo dans un cadre en argent. L'homme et la femme représentés sur ce cliché étaient frêles et pâles, mais leurs yeux étincelaient de bonheur. Entre eux était assise une fillette rieuse, la tête appuyée sur l'épaule de sa mère.

« Ils se sont tous envolés, songeait le brigadier Lair. Eleanor et Thomas Brown avec leur fille, Elyon – exactement du même âge qu'Irma et comme elle, élève de l'Institut Sheffield... Elle était venue dormir chez nous après la soirée d'Irma, au printemps dernier, je m'en souviens... »

Cette pensée lui donnait des frissons. Il avait beau être un détective endurci, c'était un grand sensible dès qu'il s'agissait de sa famille – en particulier de sa fille Irma et du petit Christopher.

Il ouvrit la porte sous l'escalier. Elle pivota sur ses gonds avec un grincement sinistre. Mais un autre bruit attira l'attention de M. Lair.

Bang ! Bangbangbang !

— Pfff ! Rien à faire ! pestait une voix.

Le brigadier, intrigué, jeta un coup d'œil dans l'escalier qui descendait au sous-sol. Quand ses yeux se furent habitués à la pénombre, il découvrit une étrange pièce circulaire, aussi oppressante qu'un tombeau. Les murs étaient composés de panneaux métalliques soudés bord à bord, et un grand costaud blond tapait sur l'un de ces panneaux avec un marteau.

M. Lair reconnut l'inspecteur Joel McTiennan. De toute évidence, celui-ci n'était pas de bonne humeur.

McTiennan et sa collègue, la toute menue Maria Medina, travaillaient pour Interpol. Le brigadier Lair avait demandé de l'aide à Interpol pour résoudre l'affaire Brown. Le Géant et la puce – comme les appelaient leurs collègues – étaient arrivés à Heatherfield avec tout un attirail de techniques et d'outils, mais n'avaient pas encore abouti à grand-chose. Le dîner chez les Lair, l'autre soir, ne leur avait rien appris. Les cinq filles, amies d'Elyon, étaient restées très évasives sur sa disparition.

— Pousse-toi un peu, Medina, grogna McTiennan.

Il venait d'extraire de sa boîte à outils un gros marteau de forgeron. Il remonta les manches de sa chemise bleue, puis, saisissant le

marteau à deux mains, il recula et le lança contre la paroi métallique.

Clang !

Le choc brisa le manche du marteau et McTiennan rattrapa la tête de justesse avant qu'elle ne lui tombe sur le pied.

— Sapristi ! lâcha-t-il, furieux.

Medina le regarda en soupirant.

— Ça suffit pour aujourd'hui, McTiennan, déclara-t-elle. Tu feras une nouvelle tentative demain.

— Je pourrais essayer la dynamite, suggéra McTiennan en jetant l'outil cassé dans sa boîte.

— Si jamais les Brown reviennent, plaisanta Medina, il vaudrait mieux qu'ils retrouvent leur maison, tu ne crois pas ?

— Encore faudrait-il qu'ils reviennent... En tout cas, s'ils rentraient, je leur réclamerais des explications sur ce mur, annonça McTiennan.

« De quoi parlent-ils, ces deux-là ? se demanda le brigadier Lair. Il faut que j'en aie le cœur net. »

Il se racla la gorge, et les deux agents se tournèrent vers lui. Le brigadier agita la main du haut de l'escalier.

— Toujours rien, inspecteurs ? questionna-t-il poliment.

— Hélas non, répondit Medina. Le détecteur d'écho n'a fait que confirmer ce que nous savions déjà.

Elle montra un appareil relié à la base du mur. Pendant qu'il descendait l'escalier, le brigadier Lair observait l'aiguille du détecteur sautiller et trembler. Quand il eut rejoint Medina, elle sortit un plan de son sac et le déroula sous ses yeux.

— Le détecteur d'écho indique qu'il y a un immense espace de l'autre côté de ce mur, expliqua-t-elle. Un espace qui n'apparaît pas sur les plans de la maison.

— Il semble que nos disparus aient quelque chose à cacher, dit McTiennan, en regardant le mur d'un air renfrogné.

— Cela paraît évident, renchérit sa collègue.

Le brigadier Lair crut discerner une lueur d'inquiétude derrière les grosses lunettes de la jeune femme. Sa main tremblait légèrement quand elle la posa sur le mur.

— En tout cas, les Brown ont bien réussi leur disparition ! ajouta Medina.

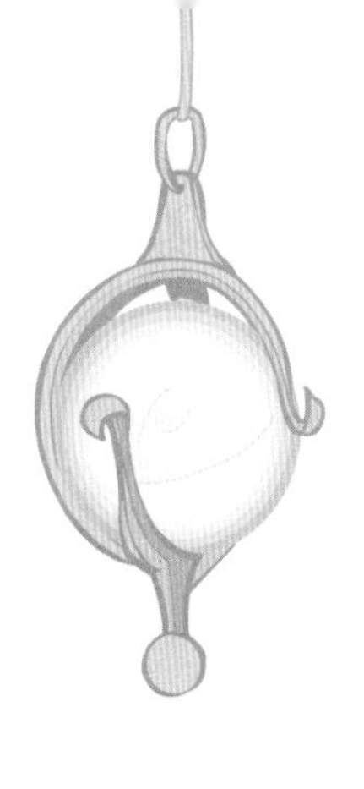

2

Cornelia marchait sur le trottoir en compagnie de Will, Irma, Taranee et Hay Lin, l'esprit troublé par l'inquiétante nouvelle que venait leur annoncer Mme Rudolf, leur prof de maths. Cornelia se rappelait la frayeur de ses amies lorsqu'elles avaient découvert la double personnalité de cette brave Mme Rudolf. Maintenant, celle-ci était devenue une alliée et un lien précieux avec la Zone Obscure du Non-lieu, en particulier avec Elyon.

— La situation est grave à Méridian, leur avait confié Mme Rudolf et j'ai de sérieuses craintes au sujet d'Elyon. Vous devriez la protéger. Il faut à tout prix empêcher qu'on lui fasse du mal.

Ces mots résonnaient encore dans la tête de Cornelia. Elle regarda ses amies, désemparées. Pouvaient-elles vraiment protéger Elyon contre le plan maléfique de Phobos ? Elle enfonça les mains dans les poches de sa veste grise, tandis qu'un souffle de vent froid soulevait ses longs cheveux blonds. Elyon lui manquait beaucoup depuis qu'elle avait suivi Cedric dans la Zone Obscure du Non-Lieu.

Cedric, qui s'était d'abord montré sous les traits d'un beau jeune homme, n'était en réalité, qu'un monstre au service de Phobos.

Quant à Phobos, le prince de Méridian et le frère aîné d'Elyon, c'était un usurpateur.

Il avait profité de la mort de ses parents pour prendre le pouvoir, alors qu'Elyon n'était qu'un bébé. À présent, il voulait absorber les pouvoirs de sa sœur pour conquérir l'univers.

Elyon courait un grand danger. Mais elle était soutenue par les rebelles de Méridian et par ses amies, devenues Gardiennes de la Muraille. L'Oracle de Kandrakar, qui veillait à préserver l'équilibre entre le bien et le mal, leur avait donné des pouvoirs magiques.

Grâce à ces pouvoirs, Cornelia et ses amies avaient traversé plus d'une fois la Muraille qui séparait la terre de la Zone Obscure du Non-Lieu. Il leur suffisait de trouver les portes pour passer d'Heatherfield à Meridian. Ce n'était pas toujours facile, mais avec le plan transmis par la grand-mère de Hay Lin avant sa mort, elles finissaient toujours par les découvrir.

L'ennui, c'est qu'elles ne disposaient plus de ce plan. La grand-mère le leur avait récemment repris, du haut de son paradis, et elle l'avait brûlé. Pour rejoindre Elyon, elles devaient donc se débrouiller autrement.

Cornelia se demandait comment elles allaient s'y prendre pour trouver une nouvelle porte. Elle regarda Irma, sachant parfaitement ce que pensait son amie : selon elle, sauver Elyon était une tâche pratiquement impossible.

Pourtant, Elyon constituait un enjeu capital pour la Zone Obscure du Non-Lieu. Si elle portait officiellement le titre de Lumière de Méridian, ce n'était pas sans raison.

Lorsqu'elle avait été enlevée et emmenée à Heatherfield, loin de son pays natal, Phobos avait perdu la chance d'absorber son pouvoir pour conquérir l'univers. Privé de l'énergie de sa sœur, il avait absorbé celle de son royaume et de ses habitants, qui vivaient depuis dans la misère et dans la crainte.

Pendant ce temps, le tyran se prélassait dans un palais somptueux, entouré de ses Murmurants, de Cedric et d'une redoutable armée.

Il avait réussi à convaincre Elyon que ses parents adoptifs n'étaient pas ses sauveurs mais des traîtres. Il lui avait fait croire qu'il l'avait cherchée durant toutes ces années, non pour la détruire, mais pour la ramener à sa vraie famille et pour lui rendre son trône.

Mme Rudolf avait raison : le désir soudain de Phobos de renoncer à la couronne en faveur de sa sœur paraissait suspect. Qui sait s'il ne nourrissait pas quelque sombre projet pour Elyon ?

D'ailleurs, Elyon elle-même avait des doutes. Sinon, pourquoi aurait-elle demandé aux Gardiennes de libérer ses parents adoptifs de l'horrible prison de Phobos ?

« C'est vrai, se dit Cornelia. Elyon est méfiante. Mais elle n'est pas entièrement convaincue que Phobos lui veut du mal. »

Arrivées à l'institut Sheffield, les cinq filles se dirigèrent vers l'escalier de l'entrée.

— Nous avons quand même un problème, observa Irma. Mon père dit que ces deux agents sont là pour un certain temps. Et si eux ne peuvent pas accéder à cette porte, nous ne le pouvons non plus !

Cornelia n'était pas ravie de l'admettre, mais Irma avait raison.

— Dans ce cas, on n'a pas le choix, conclut Will. Nous sommes obligées de trouver un autre passage vers Méridian.

— Mais ça risque de prendre des semaines ou même des mois ! protesta Cornelia. Et nous n'avons pas beaucoup de temps !

— Si vous parlez du temps qui vous reste pour bavarder, mademoiselle Hale, en effet, vous n'en n'avez même plus du tout.

Cornelia se figea.

Mme Knickerbocker !

Après une brève grimace à ses amies, Cornelia se retourna, et se retrouva nez à nez avec la directrice de l'Institut Sheffield, les mains dans le dos, avec ses cheveux gris et son air sévère.

— En classe, maintenant, comme de gentils élèves !

Le ton était enjoué, mais ferme.

— Allez, dépêchez-vous, et en silence, poursuivit-elle. Faites plaisir à votre directrice.

— Oui, madame, répondit Will.

Avant d'obéir, elle dit tout bas à ses amies :

— Rendez-vous au déjeuner !

— D'accord, répliqua Taranee pour tout le monde. Salut, Will !

3

Affalé sur l'escalier de l'Institut Sheffield, une jambe allongée en travers des marches, Uriah prenait le soleil. Il était encadré de ses deux comparses, Laurent et Kurt.

« C'est moi le chef, ici », se dit-il, leur jetant un regard de défi.

Il adorait traîner dehors. Il s'en fichait de ne pas être considéré comme un vrai Sheffieldien. Au contraire, ça lui plaisait d'être un marginal, de ne pas faire partie du troupeau.

Il se moquait des autres élèves qui arrivaient pour leur première heure de cours, et, de temps en temps, leur faisait un croche-pied au passage.

Et gare à celui qui oserait lui chercher des noises ! Il n'était pas d'humeur à supporter la moindre contrariété, aujourd'hui !

— *Que faites-vous là ?* claironna derrière lui une voix autoritaire.

« La barbe ! grogna-t-il intérieurement. Pas moyen d'être tranquille ici ! »

Ses yeux louchèrent vers le haut de l'escalier et il aperçut le tailleur bleu de Mme Knickerbocker.

— Au cas où vous ne l'auriez pas remarqué, gronda-t-elle, l'école est de ce côté.

Tandis que la directrice pointait son doigt potelé vers la porte d'entrée, Kurt répondit d'une voix traînante, avec un sourire fatigué :

— On a notre cours de gym, madame.

— Ça s'appelle *éducation physique*, espèce de troglodyte ! lui lança Uriah en donnant une tape sur sa grosse tête ébouriffée.

Comme Laurent s'esclaffait, Uriah le fit taire d'un coup de pied, puis se leva lentement et se dirigea vers le hall, suivi, comme d'habitude, de ses deux acolytes.

— « Troglodyte », reprit malicieusement Mme Knickerbocker. Cela fait plaisir de t'entendre utiliser des mots savants, Uriah. Le temps que tu as passé au musée commence à porter fruits !

Laurent gloussa de nouveau.

— Je ne trouve pas ça drôle, marmonna Uriah en le fusillant du regard.

Dès qu'il eut dépassé la directrice, il ajouta :

— Vieille momie ! C'est elle qu'on devrait mettre au musée ! Et sous verre !

— Tu sais, dit Kurt d'une voix flûtée,

le musée, c'est pas si mal comme endroit finalement...

Uriah pivota sur ses talons.

— Tais-toi, Kurt ! cria-t-il en le saisissant par son blouson.

Rien que de penser aux « travaux d'utilité publique » que leur avait infligés la juge Cook, ça le mettait en colère. Qu'y avait-il de si mal à entrer dans le musée ? Est-ce que cette petite sainte de juge n'en aurait pas fait autant à sa place ? Si elle avait entendu dire qu'une espèce de lézard parlant se promenait dans le musée d'Heatherfield, habillé en paysan du Moyen Âge, elle aurait certainement voulu vérifier sur place !

« C'est vrai quoi, se disait-il, on y allait pour s'instruire... On aurait dû nous féliciter au lieu de nous punir ! »

En plus, leur peine de trois mois avait été prolongée à un an... Tout ça à cause de Kurt, qui avait eu l'idée de jouer au base-ball dans le musée avec un œuf de dinosaure !

Nigel, lui, le traître, avait échappé à cette sanction pour sa bonne conduite... Et maintenant, en plus, il sortait avec Taranee

Cook, la fille de la juge ! Mais il allait payer pour tout ça !

Justement, Uriah venait d'avoir une idée.

— Et si on faisait un cadeau d'adieu à notre vieil ami Nigel ? proposa-t-il à ses copains. Que diriez-vous d'une jolie montre ?

Sans attendre les réactions de Kurt et

Laurent, Uriah partit à grands pas vers le gymnase.

Arrivés sur les lieux, ils entrouvrirent la double porte et jetèrent un coup d'œil à l'intérieur. Le prof de gym, M. O'Neil, était dans la salle avec des élèves de première année et tout le monde regardait en l'air. Uriah leva les yeux et découvrit David Berlin accroché à la corde comme un paresseux sur une liane, tout pâle et suant à grosse gouttes. Cette mauviette n'était qu'à mi-hauteur et le prof ne semblait pas disposé à faire preuve de clémence.

— Allez, Berlin ! criait M. O'Neil. Tu peux y arriver. Tu y es presque ! Vas-y !

C'était à mourir de rire.

Uriah se faufila le long du mur du gymnase en direction des casiers. Le prof et les élèves étaient si absorbés que personne ne le remarqua. Puis, il fit signe à Laurent de monter la garde à la porte et s'introduisit dans le vestiaire avec Kurt.

Des sacs de gym étaient entassés sur un banc, au centre de la pièce. « Ah, les premières années ! se réjouit Uriah, la main sur le cœur. Je les adore ! Ils sont si naïfs, si confiants !...

Il fouilla dans les tas de sacs jusqu'à ce qu'il déniche le plus ringard de tous : un sac en plastique bleu pâle décoré d'un petit chat et étiqueté *D. Berlin*.

— Personne ne vient ? lança-t-il par-dessus son épaule.

— Pas pour le moment, grogna Laurent de son poste de guet.

Uriah ouvrit le sac de David, plongea la main à l'intérieur et en sortit une montre numérique à large bracelet.

— Voilà qui fera l'affaire !

Il la glissa dans la poche de son jean et sortit d'un pas nonchalant, sûr de son coup.

— Je vous rejoindrai plus tard, marmonna-t-il à ses amis.

Il lut la déception dans leurs yeux. Ils auraient voulu connaître la suite de son plan.

« Désolé, mais mignons ! avait-il envie de leur dire. Cette mission-là, elle est pour moi ! »

Il grimpa l'escalier, enfila le couloir bordé de casiers et s'arrêta devant le casier de Nigel.

Il attrapa le cadenas accroché à la serrure.

« Ce truc-là suffirait à décourager des amateurs, songea-t-il. Mais, moi, je ne suis pas un amateur. Je connais son code ! » Il composa le code et – *Clac !* – le cadenas s'ouvrit. «Parfait ! »

Uriah ouvrit le casier, y jeta la montre, referma le casier et repartit à toute allure vers l'escalier.

« Et voilà !... Ni vu ni connu ! Oh, Uriah, ce que tu es bon !... Et toi, cher Nigel, j'espère que le cadeau te plaira... »

4

Will entra dans la cafétéria de l'école et se rua sur le chariot des desserts. Comme la plupart des collégiens de Sheffield, elle savait que si elle attendait la fin du déjeuner pour aller chercher son dessert, les meilleurs auraient disparu. Il ne resterait plus que des muffins diététiques sans sucre et sans matières grasses.

« Pour présenter mon plan aux autres Gardiennes, se dit-elle, j'aurai besoin d'un maximum d'énergie, et surtout de sucre ! »

Il lui avait fallu la matinée entière pour concocter ce plan. Elle l'avait imaginé pendant le cours de théâtre, puis avait tout organisé dans sa tête en cours de maths avant de griffonner quelques notes dans son cahier en cours de sciences.

Will s'affala sur la dernière chaise libre autour de la table ronde. Assises devant leur chocolat fumant, ses quatre amies la fixaient des yeux comme des soldats prêts à exécuter des ordres, ou comme des élèves attendant la prochaine question du prof.

Will commença par inspirer profondément, puis expliqua ce qu'elle avait en tête.

— J'ai bien réfléchi, annonça-t-elle. J'ai peut-être la solution à notre problème.

— Tu as trouvé un moyen d'aller à Méridian ? demanda Taranee.

— Oui ! répondit Will. Nous pourrions

emprunter le passage qu'avait utilisé Vathek pour arriver à Heatherfield.

Elle riait encore en se rappelant l'apparition du monstre bleu à sa fenêtre. Une arrivée pour le moins inattendue ! Vathek – ex-homme de main de Cedric, rallié depuis peu aux rebelles de Méridian – était venu la prévenir qu'Elyon comptait sur ses amies Gardiennes pour délivrer ses parents adoptifs retenus dans la prison de Phobos.

— Quand nous sommes retournées dans la Zone Obscure du Non-Lieu avec Vathek, fit remarquer Cornelia, nous sommes passées par la porte située sous la maison d'Elyon.

— Celle qu'a utilisée Vathek, on ne la connaît pas, ajouta Irma, la bouche pleine. D'une certaine façon, ça vaut mieux. Au moins, on est sûres de ne pas l'avoir fermée.

— C'est juste, approuva Hay Lin. Mais où peut-elle se trouver ?

— Voilà le problème ! dit Will. Je n'en sais rien, mais avec nos pouvoirs, on devrait réussir à le savoir.

— Et si on se réunissait chez moi après l'école pour en discuter ? proposa Taranee.

Will hocha la tête.

— J'y serai, répondit Hay Lin.

— O.K., dit Cornelia d'un air déterminé. Avec ou sans carte, nous...

Driiiing !

Will sursauta. Déjà la reprise des cours ? Leur discussion avait-elle duré tout le déjeuner ? Elle n'avait même pas fini son biscuit !

— Hein ? fit Irma en regardant sa montre. La cloche est en avance ! Il nous reste encore dix minutes.

— Non, dit un garçon en passant. Mme Knickerbocker a une annonce à faire.

— Une annonce ? s'étonna Irma. Qu'est-ce qu'il lui prend ?

Les cinq filles se levèrent néanmoins et sortirent en hâte de la cafétéria en même temps qu'un flot d'autres élèves. Une foule encore plus grande attendait dehors, devant l'entrée principale. Mme Knickerbocker se tenait en haut des marches avec, à ses côtés, un garçon en jean et cardigan vert. Il avait le teint pâle, de grands yeux au regard triste et étonné, et paraissait tout petit comparé à sa voisine. La directrice avait l'air furieuse !

— Hmmm ! murmura Cornelia à Will. Ce doit être grave. Elle en fait une tête !

Mme Knickerbocker prit la parole.

— Les enfants, il est arrivé quelque chose de très sérieux. Quelqu'un a volé une montre à votre camarade, David Berlin.

Mme Knickerbocker attrapa le garçon par l'épaule et le serra contre elle d'un geste protecteur. Will le vit grimacer.

— C'est la première fois qu'un incident de ce genre se produit dans notre établissement, poursuivit la directrice. Comme vous pouvez l'imaginer, je suis non seulement choquée, mais aussi profondément peinée et déçue. Je devrais appeler la police, mais je ne le ferai pas. J'espère que la personne responsable réfléchira bien à son acte et veillera à ce que cette montre soit rendue à son propriétaire.

Will était sidéré. Elle connaissait beaucoup d'élèves, et la pensée que quelqu'un dans cette assemblée avait commis un vol l'attristait réellement.

Manifestement, Mme Knickerbocker éprouvait le même sentiment.

— À présent, je vais regagner mon bureau, déclara-t-elle, et vous retournerez dans vos classes. Mais écoutez-moi bien : je vois cette montre sur mon bureau demain matin au plus tard ! Je vous ai toujours fait confiance, et j'aimerais que ça continue. À vous d'en décider, maintenant !

Will examina les visages autour d'elle. Où se cachait le traître ? Son regard se posa sur Martin Tubbs, l'intello un peu neuneu qui faisait la cour à Irma depuis toujours. Lui aussi semblait très perturbé. Et ce fut pire quand Mme Knickerbocker ajouta :

— Rappelez-vous, si quelqu'un sait ou a vu quelque chose et ne parle pas, il est aussi coupable que le voleur.

Will, le voyant très affecté, lui sourit d'un air compatissant.

« Pas étonnant qu'il soit bouleversé, se dit-elle. Martin est un garçon adorable.

Pour lui, un tel acte est inconcevable. »

Irma n'appréciait pas du tout cette interruption dans sa journée de cours.

— C'est dingue ! dit-elle à ses amies. Qui a pu faire ça ?

— Joli petit mystère, hein ? observa Hay Lin.

En retournant vers leur classe, les cinq amies passèrent devant la directrice au moment où elle apostrophait Uriah, devant les casiers.

— Uriah, tu ne saurais pas quelque chose par hasard ?

— Hé ! protesta Uriah. Pourquoi m'accuser tout de suite ?

— Je ne t'accuse pas, mais comme tu es plus souvent dans les couloirs que dans les classes, tu aurais pu remarquer quelque chose d'inhabituel.

— Oui, c'est ça ! cria Uriah, hors de lui.

Will s'arrêta – le spectacle en valait la peine. Ses amies et des dizaines d'autres élèves en firent autant.

— Avec tout le respect que je vous dois, madame, poursuivit Uriah, j'en ai assez d'être traité comme ça. Vous n'avez qu'à perquisitionner !

La directrice jeta sur la foule des curieux un regard embarrassé.

— Allez-y ! hurla Uriah. Fouillez mon sac ! Ouvrez mon casier !

Il se dirigea vers un casier tout cabossé et commença à composer le code.

— Calme-toi, lui dit Mme Knickerbocker. Ne le prends pas ainsi, voyons !

Ignorant la directrice, Uriah se tourna vers Kurt.

— Ouvre le tien aussi, lui ordonna-t-il. Nous sommes les mauvais garçons, pas vrai ? Dès qu'il se passe un sale truc, c'est toujours de notre faute. Alors, vas-y !

Uriah retourna à son casier, finit de composer le code de son cadenas et ouvrit la porte en grand, ce qui déclencha une avalanche de papiers de bonbon, de vieilles chaussettes, de cahiers froissés et tout un bric-à-brac incroyable.

— Regardez ! lança-t-il avec défi.

Mme Knickerbocker, la main sur la bouche, paraissait gênée.

— Je ne voulais pas t'offenser, dit-elle, tandis qu'Uriah regardait d'un air triste ses

affaires étalées par terre.

Will fut bien forcée d'admettre que, dans tout ce bric-à-brac, il n'y avait pas de montre.

— Pauvre Uriah ! murmura Irma. C'est sûr, il est parfois odieux mais, là, je le plaindrais presque !

— Excuse-moi, dit Mme Knickerbocker en posant sa main sur l'épaule d'Uriah. Si tu pensais que…

— Non, madame, dit Uriah en se dégageant. Si vous me soupçonnez, alors vous devez soupçonner tout le monde !

À ce moment-là, Will aperçut Kurt et Laurent qui, visiblement, se retenaient pour ne pas pouffer de rire.

« Tout ça me paraît louche... » se dit-elle.

— Allez-y, vous tous ! lança Uriah d'une voix rageuse à l'assistance. De quoi avez-vous peur ? Ouvrez donc vos casiers !

Will regarda autour d'elle. Les collégiens se jetaient des regards méfiants et haussaient les épaules d'un air embarrassé. Après quelques hésitations, ils commencèrent peu à peu à s'avancer vers les casiers. Les bons comme les mauvais élèves, tous étaient prêts à prouver leur innocence.

Le premier à se décider fut Matt Olsen, le chanteur de *Cobalt Blue* et le grand amour de Will. Quand il ouvrit la porte de son casier, Will se surprit à retenir son souffle. Mais le casier ne contenait que quelques livres.

Une fille blonde ouvrit le sien à côté : il était également vide.

Idem pour son voisin.

Clac ! Clac ! Clac ! Les casiers s'ouvraient et se refermaient les uns après les autres, et tout le monde semblait innocent.

Will repéra Nigel, le petit ami de Taranee. Avec lui, aucun risque. Il avait quitté la bande d'Uriah après l'incident musée et ne voulait plus rien avoir à faire avec eux.

Mais quand Nigel ouvrit son casier, elle vit quelque chose en tomber... puis, sur le marbre, par terre... une montre !

— Eh ! C'est ma montre ! s'écria David Berlin, se précipitant pour la ramasser.

Nigel ! cria Mme Knickerbocker, indignée.

— M... mais... bégaya Nigel.

Les yeux écarquillés, il regarda la montre, puis la directrice, puis de nouveau la montre... Il semblait atterré.

— Nigel ! s'exclama Taranee.

Will, qui était juste à côté d'elle, la vit au bord des larmes.

— Attends ! protesta Nigel, en se précipitant vers Taranee. Ce n'est pas moi qui l'ai prise !

— Oh, Nigel, fit Uriah en secouant la tête.

— Viens dans mon bureau, Nigel, ordonna Mme Knickerbocker d'un ton sévère.

Taranee ne prononça pas un mot. Quand Will voulut lui poser la main sur l'épaule pour la réconforter, elle fit demi-tour et s'enfuit vers le vestibule.

Will jeta un coup d'œil à ses camarades. Hay Lin avait l'air choquée, Cornelia secouait la tête, écœurée, et Martin semblait très mal à l'aise, presque coupable.

Elle-même était dans la plus grande confusion. Cet incident, en plus de ses préoccupations de Gardienne... Tout ça lui donnait mal à la tête.

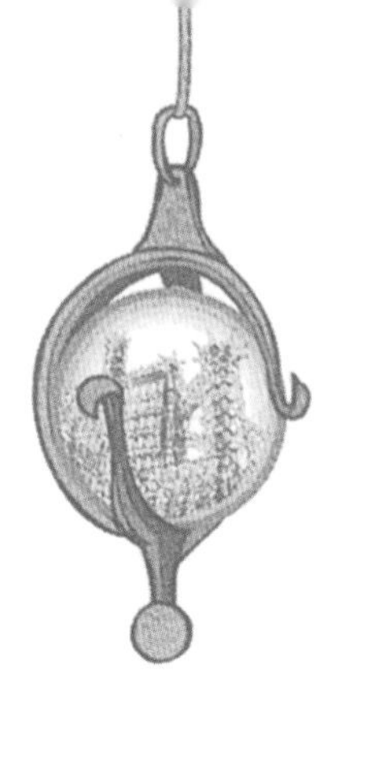

Quand Hay Lin pénétra dans la chambre de Taranee avec le plateau du thé, l'ambiance n'était guère réjouissante. Tandis que Taranee, adossée à la tête de son lit, gardait le menton posé sur ses genoux repliés d'un air morose, Will et Irma, perchées à l'autre bout du lit, échangeaient des regards gênés. Quant à Cornelia, appuyée contre le bureau, elle en voulait certainement à Nigel d'avoir semé le trouble dans toute l'école.

Hay Lin annonça d'un ton joyeux :

— Voilà le thé !

Elle distribua les tasses avec sa vivacité et sa grâce habituelles, espérant alléger un peu l'atmosphère. Mais ses efforts ne semblaient pas délier les langues.

« Dites quelque chose, s'il vous plaît ! » supplia-t-elle intérieurement.

— Taranee ?

D'où venait cette voix ? Hay Lin regarda autour d'elle. Aucune de ses amies n'avaient ouvert la bouche. Mais la mère de Taranee venait de passer la tête par la porte entrouverte.

— Nigel au téléphone ! dit-elle.

Lentement, Taranee leva les yeux.

— Ah oui ? fit-elle d'un ton sarcastique. Eh bien, je ne veux pas lui parler. Dis-lui que je ne suis pas là.

— Oh, vous vous êtes disputés ? demanda Mme Cook en scrutant le visage de sa fille.

— Non, il ne s'est rien passé, maman, soupira Taranee. Dis-lui que je suis sortie, ajouta-t-elle, évitant le regard de sa mère.

— Comme tu veux.

Dès que Mme Cook fut partie, les filles replongèrent le nez dans leur tasse. Hay Lin quant à elle, se faufila dans le couloir et tendit l'oreille.

— Je... je suis désolée, Nigel, disait Mme Cook, plutôt mal à l'aise.

« Ça doit vraiment être dur de mentir pour un juge », songea Hay Lin.

— Mais, poursuivit la mère de Taranee, elle vient juste de sortir et...

La voix de Nigel l'interrompit. Il parlait si fort et d'un ton tellement furieux que Hay Lin pouvait l'entendre de là où elle se trouvait. Il devait certainement protester de son innocence.

— Une montre ? dit Mme Cook, qui n'y comprenait rien. De quelle montre parles-tu ? Nigel ? Allo ? Nigel !

Il avait dû raccrocher.

Hay Lin secoua la tête et retourna dans la chambre de Taranee. L'ambiance s'était animée en son abscence, mais pas dans le bon sens.

Taranee était maintenant assise sur le bord du lit, le visage dans les mains. De toute évidence, elle pleurait. Will lui tapotait le dos, désemparée.

— Courage, Taranee ! lui disait-elle. Ne sois pas si triste.

Taranee se contentait de secouer la tête.

— Je n'arrive pas à y croire, sanglotait-elle.

— Pourtant, nous l'avons tous vu de nos propres yeux, lui rappela Cornelia depuis l'autre bout de la chambre.

— Eh bien, merci pour tes encouragements, Cornelia ! dit Irma.

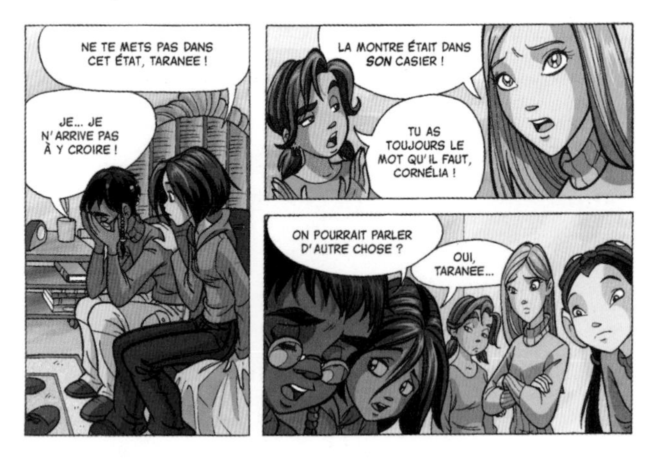

Taranee sanglota de plus belle. Rien ne semblait pouvoir la consoler.

Finalement, elle murmura :

— Est-ce... est-ce qu'on pourrait changer de sujet, s'il vous plaît ?

— Bien sûr, Taranee, répondit Will d'un ton calme, tout en jetant vers Hay Lin un regard désespéré.

« Bon, un autre sujet... vite, vite ! songea Hay Lin. Voyons... Comment ça se fait qu'en cours de biologie, je pense toujours à des tas de trucs que j'aimerais dire à mes copines, et puis là, rien ! »

Elle réfléchissait, les mains enfoncées dans les poches de son jean, quand, soudain, elle sentit quelque chose sous ses doigts.

— Hé, s'écria-t-elle. Je crois que j'ai trouvé un moyen de localiser la porte utilisée par Vathek !

— Ah oui ? s'exclama Cornelia, quittant le triste cercle autour de Taranee pour rejoindre Hay Lin. Ce serait la première bonne nouvelle depuis des semaines !

— Mais comment ? questionna Taranee d'une voix douce en essuyant les larmes qui lui coulaient sur les joues.

— Avec ça ! dit Hay Lin.

Elle sortit de sa poche un objet plat et rond qu'elle montra à ses amies. C'était un jeton de la taille d'une pièce de vingt centimes.

— Vous vous rappelez quand Will et Vathek ont emmené Cornelia au nez et à la barbe des yeux des deux agents d'Interpol, il y a quelques jours ? demanda Hay Lin.

— Oui, pour qu'on puisse aller dans la Zone Obscure du Non-Lieu délivrer les parents d'Elyon, confirma Will en hochant la tête.

— C'est ça. Et vous avez utilisé la camionnette de l'animalerie pour vous enfuir.

— Ne m'en parle pas, dit Will avec un sourire gêné. Créer un double de M. Olsen pour conduire la camionnette était une idée folle. J'en suis encore malade rien que d'y penser !

— Eh bien, cette course folle a eu un heureux résultat ! déclara Hay Lin. Ce jeton est tombé de la poche de Vathek. J'ai le pouvoir de pénétrer la mémoire des objets et de ressentir les sons qui y sont inscrits. Ce morceau de métal devrait donc me révéler d'où il vient !

— Et quand nous aurons découvert ça, s'écria Will en se levant d'un bond, nous saurons aussi à quel endroit Vathek a franchi la Muraille ! Bravo, Hay Lin !

— Allez, reconnais-le, dit Irma. Quelqu'un t'a donné cette idée.

— Tu es jalouse, Irma, répliqua Hay Lin avec son sourire malicieux. Maintenant, silence ! Je dois me concentrer.

Plus personne ne respirait dans la chambre quand Hay Lin laissa tomber le jeton sur le plancher.

La pièce atterrit sur le sol avec un petit *cling !* C'est du moins le son qu'entendit Hay Lin en premier. Mais lorsqu'elle ferma les yeux, le *cling* se transforma en une sorte de carillon.

Puis le son du carillon fit place à une vision. Celle d'un royaume étrange et magnifique, rempli de prismes et de cristaux flottants.

Hay Lin tendit les mains pour s'appuyer sur la chaise du bureau. Ou était-ce l'épaule de Will ? Elle ne savait pas exactement. Il lui était difficile de garder le contact avec son corps quand son esprit s'envolait. Elle se sentit catapultée à travers une eau veloutée. Des cristaux étincelants filaient à côté d'elle comme des astéroïdes.

Chacun de ces prismes était rempli de sons. Elle sentait les bruits plus qu'elle ne les entendait. Lorsqu'un cristal chargé de rires passa près d'elle à toute vitesse, elle ressentit des chatouillements dans tout le corps.

Un autre prisme, débordant de cris joyeux, lui donna un sentiment de légèreté qu'on éprouve en terminant un beau dessin.

Le son d'après – un ronronnement de machine – lui remplit les narines d'un parfum de sucre chaud.

Hay Lin prenait tant de plaisir à toutes ces sensations qu'il lui fallut un moment pour remarquer que ce n'était pas ces cristaux qui se déplaçaient autour d'elle, mais elle qui plongeait à travers eux !

Elle filait le long d'un tunnel rempli de mots, de rires et de froissements de feuilles. Au cours de ses nombreux voyages entre

Heatherfield et Méridian, Hay Lin avait appris que tout tunnel avait une fin.

Celui-ci s'achevait dans un carré de lumière.

Whooooossssh !

Elle plongea au cœur de cette lumière.

Les cristaux et les prismes disparurent, de même que l'espace noir et vide dans lequel ils flottaient.

Maintenant, c'était Hay Lin qui flottait. Elle se trouvait dans un endroit sombre où elle ne voyait rien mais où elle sentait tout. Elle détecta de la sciure, des cacahuètes et... de la barbe à papa ! C'était l'odeur de sucre chaud qu'elle avait sentie dans le tunnel.

Sa vision se précisa. Une tache rouge se transforma en ballon rouge. Un petit enfant assis sur les épaules de son père tenait une corde. Un peu plus loin, d'autres parents se promenaient avec leurs enfants. Ils s'éloignaient d'une grande roue. Il y avait aussi des montagnes russes et une maison hantée, dont la façade représentait un visage de sorcière géant.

Juste au moment où Hay Lin commençait à se repérer, la scène s'estompa.

Elle se retrouva dans un tunnel sombre dont le décor, beaucoup plus terrestre, n'avait rien à voir avec les beaux prismes du précédent. Hay Lin remarqua des rails de métro rouillés et des murs incurvés recouverts de peinture écaillée.

Ce tunnel mal éclairé sentait le moisi. Pourtant, un visiteur s'y était hasardé. Hay Lin aperçut d'abord son ombre... Une ombre gigantesque sur le mur...

Lorsqu'il apparut en personne, Hay Lin poussa un cri de joie.

C'était Vathek !

Alors, presque malgré elle, ses yeux s'ouvrirent et sa vision, si nette un moment plus tôt, se dissipa dans une fine brune. Hay Lin était de nouveau parmi ses amies, qui la fixaient avec des regards impatients.

— Ça y est, j'y suis ! C'est un parc d'attractions... le terrain vague où avaient lieu autrefois les fêtes foraines, juste en dehors d'Heatherfield !

— Tu es sûre ? demanda Will.

— Tout à fait! affirma Hay Lin en ramassant le jeton par terre et en l'examinant. Je parie que c'était un jeton pour la baraque de tir.

— Je ne sais pas pourquoi Vathek a ramassé ça, dit Will en prenant le jeton dans la paume de Hay Lin, mais en tout cas il nous a rendu un fameux service!

— Maintenant, déclara Cornelia avec enthousiasme, il ne nous reste plus qu'à retourner à Méridian!

6

Elyon était assise sur son balcon en forme de coquille, qui lui offrait une vue imprenable sur Méridian. Ce balcon communiquait avec la chambre par une haute porte voûtée garnie de rideaux de velours vert.

Son siège tapissé de soie bleue et aux accoudoirs dorés, ressemblait plus à un trône qu'à une chaise ordinaire.

« Il est beaucoup moins confortable que le vieux fauteuil que j'avais à la maison, songea-t-elle, mélancolique. Mais il faudra bien que je m'y habitue si je dois devenir reine, demain. »

Au mot *maison*, Elyon secoua la tête, agacée. Elle s'en voulait d'avoir encore ces accès de nostalgie.

« Quand vais-je enfin comprendre que ma maison est ici ? Mon destin est *ici*. Le collège, Heatherfield, c'est fini ! Je suis censée être la Lumière de Méridian. Voilà pourquoi mon frère se donne tellement de mal pour organiser un grand couronnement. »

D'ailleurs, se dit-elle en regardant le ciel toujours gris, je me demande bien ce qui va se passer lors de cette cérémonie. Personne ne m'a indiqué ce que je devais faire, c'est bizarre... Est-ce que je dois préparer un discours ou apprendre une incantation ?

— Princesse !

Elyon sursauta et regarda par-dessus son épaule. Elle aperçut alors, émergeant d'un des rideaux comme une ombre qui prend vie, une créature assortie au vert foncé des rideaux. Elle avait de longs membres pointus et des cheveux aussi blancs que le duvet d'un pissenlit. Son exclamation ressemblait à un étrange murmure.

« Ma parole, les Murmurants peuvent lire dans mes pensées ! »

— Vous allez attraper un rhume dans ce courant d'air, siffla le Murmurant, accroché au rideau comme un lézard.

— Le vent ne me gêne pas, répondit Elyon d'un ton hautain.

« Comme si tu t'en souciais... », ajouta-t-elle intérieurement.

— Pourquoi ne pas vous reposer un moment ? suggéra la créature en s'approchant du fauteuil par-derrière. Demain est un grand jour, et vous aurez besoin de toute votre énergie.

— N'importe quoi !... Où est mon frère ? Je l'attends depuis ce matin pour lui parler !

— Le prince est très occupé, Majesté. La cérémonie nécessite de longs rites de purification...

— Oui, bien sûr ! coupa Elyon.

Ce Murmurant l'exaspérait. Incapable de se retenir plus longtemps, elle serra les poings très fort et tous ses muscles se contractèrent. Elle tourna le dos à la créature et, les yeux fixés sur les rideaux de velours vert, bras tendus en avant, elle projeta sur les draperies un souffle magique. Le tissu se gonfla et se mit à battre au vent – *vooouf !*

Elyon ne supportait plus d'attendre en silence. Phobos ne cessait de l'éviter. Il se comportait en étranger plus qu'en frère. Pourtant, elle avait des tas de questions à lui poser sur la ville et sur la manière dont il avait gouverné durant toutes ces années.

« Je n'ai obtenu aucune réponse jusqu'à ce jour. Demain, *j'exigerai* qu'il m'en donne ! C'est le droit d'une reine, après tout. »

7

Comme toujours en présence de Phobos, Cedric se sentait un peu fébrile. C'était un honneur considérable d'avoir accès au sanctuaire renfermant le plus grand secret du prince – la source de son pouvoir. Cette pièce, entourée de cinq murs de pierre bleue, se situait au sommet de la plus haute tour du palais.

Chaque mur percé d'une fenêtre en forme de hublot. Elles n'avaient pas de vitres pour ne pas bloquer le flot de lumière jaune fluorescent qui traversait la pièce. C'était la force la plus pure et la plus puissante de tout Méridian.

Cedric regardait, fasciné, cette intense lumière qui entrait par les cinq fenêtres. Elle coulait comme un liquide doré le long des murs, puis sur le sol avant de converger dans une grande cuvette en forme de fleur géante. Dans ce chaudron, source bouillonnante d'un pouvoir à nul autre pareil, l'étrange lumière se transformait en énergie magique.

Autour du chaudron se dressaient trois grands poings de pierre qui dominaient la pièce. Chaque poing tenait un globe de cristal géant. Trois Murmurants montaient la garde.

Cedric sourit.

Il pensait à Elyon avec une certaine fierté. C'était lui qui l'avait formée et lui avait appris à suivre Phobos aveuglément. Cela n'avait pas été très difficile, d'ailleurs. Quand il l'avait dressée contre ses amies terrestres et amenée, à force de cajoleries, à se soumettre à Phobos, elle était comme de l'argile entre ses mains... jusqu'à ces derniers jours, où elle avait manifesté des signes de rébellion.

« D'accord, admit Cedric en son for intérieur, une colère qui déclenche un tremblement de terre est plus qu'un simple signe de rébellion. Elyon a quand même réussi à détruire la prison de Méridian assez facilement... Malgré cela, elle ne peut rivaliser avec notre prince. »

Effaçant de son esprit les images de la jeune fille, il concentra à nouveau toute son attention sur Phobos.

— Elyon a une bonne raison d'être inquiète, disait le prince. Dans quelques heures, elle pourra enfin s'adresser au peuple de Méridian... Mais ce sera uniquement pour faire ses adieux !

Il se tourna vers Cedric qui, retenant son souffle, repoussa ses longs cheveux blonds derrière ses oreilles.

— Je serai à ses côtés, l'informa Phobos, continuant d'expliquer son plan. En tant que maître de cérémonie, j'accompagnerai Elyon.

Toi, tu te tiendras derrière nous avec la couronne.

— Qu'arrivera-t-il ensuite, Seigneur ? s'enquit Cedric avec respect.

— Ensuite, déclara Phobos avec un gloussement sinistre, ce sera la fin de ça ! dit-il en désignant l'énergie magique. Regarde autour de toi, Cedric. Ici coulait jadis une puissante rivière.

Presque avec nostalgie, Phobos trempa sa main dans le chaudron.

— C'était la plus pure et la plus puissante source de tout Méridian, poursuivit-il. J'ai utilisé cette énergie pour devenir plus fort, pour conquérir des mondes entiers.

Il retira sa main. Elle brillait encore lorsqu'il la leva devant son visage, mais ternit légèrement quand il ajouta :

— Ces imbéciles de Kandrakar croyaient me punir en me coupant du reste de l'univers avec leur Muraille ridicule. Ils n'ont pas réussi à m'atteindre. Le pouvoir qui coulait autrefois en abondance dans cette tour est à présent réduit à un simple filet, et ce monde se rapproche chaque jour un peu plus de sa fin.

Cedric baissa la tête. L'idée que son maître puisse être vaincu le faisait trembler de rage. Ou était-ce de peur ?

Quoi qu'il en soit, il n'avait pas le temps de s'attarder sur cette question. Le prince parlait à nouveau.

— Le retour d'Elyon a changé la donne. Elle est la Lumière de Méridian !

Tandis que Phobos parlait, deux Murmurants entrèrent dans la pièce. Extraordinairement musclées pour leur espèce, les créatures amphibies tiraient un gros coffre richement décoré, avec des incrustations d'or et de nacre.

D'un simple coup d'œil, Phobos leur ordonna d'ouvrir le coffre. Une aveuglante lumière blanche en jaillit et obligea Cedric à se protéger les yeux.

— Elyon n'a pas encore pris conscience de ses pouvoirs illimités, continua Phobos. C'est pourquoi, demain, je pourrai m'en emparer. J'ai cherché ma sœur longtemps. Désormais, elle et sa magie vont m'appartenir entièrement !

— Ah ! s'écria Cedric, qui comprenait enfin. La Lumière de Méridian est sur le point de s'éteindre à jamais !

Il ne pouvait que se réjouir du plan machiavélique de son maître. Quand Phobos serait roi, sa propre position s'en trouverait largement améliorée. Il restait cependant un point d'ombre dans le plan de Phobos.

— Comment vous y prendrez-vous pour vous emparer des pouvoirs d'Elyon ?

— Avec ça, Cedric !

Il enfonça les mains dans le coffre. Elles disparurent pendant un moment dans la lumière magique, puis en ressortirent, tenant une couronne argentée d'une grande finesse,

ornée, sur le devant, d'une grosse pierre violette étincelante.

— Voici la couronne de Lumière, dit Phobos. En me servant de ce qui reste de l'énergie magique de Méridian, je vais créer un piège capable de capturer les forces d'Elyon.

Alors, sa robe de soie flottant autour de lui, Phobos traversa la pièce et, cérémonieusement, plongea la couronne dans le chaudron. Le liquide magique recouvrit le précieux métal avec un grésillement inquiétant.

— Quand je poserai cette couronne sur la tête d'Elyon, elle absorbera ses pouvoirs, dit Phobos, encore tremblant de l'effort qu'il venait d'accomplir. Avec l'énergie d'Elyon à ma disposition, je finirai par détruire la Muraille. Et je serai de nouveau libre !

Il laissa échapper un rire mauvais. Les grésillements cessèrent : la couronne était prête. Le prince la sortit du chaudron, toute vibrante de pouvoirs magiques, et lui parla presque tendrement :

— Toi, tu t'occuperas de ma sœur et me débarrasseras définitivement de sa présence !

Les paroles de Phobos résonnaient encore

entre les murs de pierre, quand Cedric perçut un bruissement dans la pièce. Il jeta un coup d'œil du côté des Murmurants et les vit se balancer d'un pied sur l'autre, les mains jointes, serrant et desserrant les doigts. Les yeux levés vers le ciel, ils enregistraient tout.

« Les Murmurants sont les yeux et les oreilles de Phobos, remarqua Cedric en silence. Ils voient, entendent et sentent tout ce qui se passe à Méridian. Et je crois deviner ce qui occupe actuellement leurs esprits simples. »

— Majesté, dit-il avec les plus grands ménagements, la ville entière sera sur la place pour assister à la cérémonie.

Votre sœur est très aimée ! Comment réagira le peuple de Méridian ?

— Ce ne sera pas un problème ! cracha Phobos, en serrant la couronne contre sa poitrine.

Cedric, en fidèle serviteur, était tout disposé à accepter aveuglément la réponse de Phobos. Mais il avait vu les rebelles à l'œuvre et observé la force de leurs convictions. Cedric prit une profonde inspiration avant de s'approcher du prince.

— Pardonnez mon insolence, Majesté, dit-il d'une voix étranglée, mais je ne pense pas que votre armée sera assez forte pour résister à la foule en colère.

Cedric se prépara au terrible coup d'aiguillon que Phobos allait probablement lui infliger par l'intermédiaire d'un de ses Murmurants.

Mais c'est tout juste si le prince daigna lui accorder un regard. Son attention était tout entière dirigée vers la porte.

Cedric entendit au loin le bruit de nombreux pieds frappant le sol de pierre d'un seul et même pas.

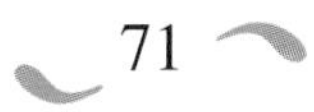

— J'ai déjà envisagé la possibilité d'une révolte, affirma-t-il. Si elle éclate, mes nouveaux Murmurants s'en chargeront.

Boum ! BOUM ! BOUM !

Les bruits de pas se rapprochaient, à présent. Cedric sentit son souffle devenir haletant et son cœur palpiter dans sa poitrine.

Phobos lui posa la main sur l'épaule et le conduisit vers la porte, qui donnait sur un long couloir. Cedric suivit le regard de son maître vers le bout du couloir et resta pétrifié...

— Regarde-les bien, Cedric ! dit Phobos avec un sourire satisfait. Et méfie-toi d'eux.

Cedric vit alors des rangées et des rangées d'êtres musclés au visage implacable. Serrés dans des armures protégeant leurs larges poitrines, ils avaient des poings assez massifs pour écraser des rochers. Leurs traits étaient monstrueux, totalement inexpressifs, et un masque rouge entourait leurs yeux blancs au regard fixe. Jamais, Cedric n'avait rencontré d'êtres aussi menaçants.

— Voici mes nouveaux soldats. Apprends à craindre mon armée de sentinelles obscures ! déclara Phobos à son serviteur tremblant.

Irma regarda avec nostalgie le grillage rouillé et les rails défoncés des montagnes russes, le manège immobile et la grande roue délabrée de l'ancien parc d'attractions d'Heatherfield. Elle adorait cet endroit quand elle était petite.

Aujourd'hui, hélas, il n'était pas question de s'amuser. Will ne tarda pas à le lui rappeler :

— Bon, on y va ?

Mais soudain...

Bip ! Bip !

— Oups ! fit Will, plongeant la main dans sa poche pour prendre son téléphone. Allo ? dit-elle sous les regards interrogateurs de ses amies. C'est moi. Oui, elle est juste à côté de moi ! Je te la passe.

Will tendit le téléphone à Irma.

— C'est Martin. Il veut te parler !

— Tu plaisantes j'espère, s'écria Irma.

Les relations d'Irma avec Martin avaient connu plusieurs *métamorphoses*, si on peut dire – le mot est bien choisi, car une fois, elle l'avait temporairement fait disparaître ! Pendant longtemps, il l'avait exaspérée à lui courir après avec des yeux de merlan frit. Et puis, un jour, elle lui avait découvert des qualités et avait même accepté une sortie avec lui au musée. Depuis, ils étaient restés amis. Malheureusement, il tombait encore parfois au mauvais moment.

— Que veux-tu, Martin ? Je suis très occupée et...

Une litanie de mots savants l'interrompit.

Irma poussa un long soupir. C'était typique de Martin ! Il allait mettre une heure pour s'expliquer ! Elle était sur le point de lui raccrocher au nez, lorsque quelque chose dans son discours retint son attention.

Quelque chose d'important.

— Quoi ? s'écria Irma. Tu es sérieux ?

Martin confirma l'information, avec autant de mots qu'il était humainement possible, et Irma déclara sans hésiter.

— D'accord. Rendez-vous au *Golden* dans une demi-heure.

Trente et une minutes plus tard, Martin et les Gardiennes commandaient des pizzas au *Golden*. Irma se sentait un peu coupable, car les Gardiennes avaient dû remettre à plus tard leur excursion dans la Zone Obscure du Non-Lieu pour parler avec Martin.

— Tes parents m'ont dit que tu étais sortie avec Will, lui expliqua Martin. Alors, j'ai appelé chez elle et sa mère m'a donné son numéro de portable...

— O.K. ! Abrège, Martin ! s'impatienta Irma.

Devant la mine déconfite du garçon, elle essaya de se rattraper. Ça n'avait sûrement pas été facile pour lui d'appeler les filles, alors qu'elle étaient toutes ensemble. Il fallait qu'elle se montre plus compréhensive. Lui posant amicalement la main sur le bras, elle reprit plus calmement :

— Commence par le début, et raconte-nous tout ce que tu sais.

Martin prit une profonde inspiration et rajusta ses épaisses lunettes.

— Je voulais vous en parler au collège, commença-t-il. Mais… enfin, j'avais peur.

Il se tut, comme s'il n'arrivait pas à trouver les mots justes pour s'expliquer.

— Peur de quoi ? demanda Will doucement.

Martin baissa la tête et regarda fixement son verre. Puis il se décida.

— Nigel n'a rien à voir avec le vol de la montre, déclara-t-il très vite. C'est Uriah qui a volé la montre de David Berlin. Je l'ai vu !

— Quoi ? s'écrièrent les Gardiennes en chœur.

— *Quand* l'as-tu vu ? demanda Hay Lin.

Martin se détendit un peu. Le doigt contre la tempe, il poursuivit :

— Eh bien, voici comment ça s'est passé : le prof m'avait viré de la classe parce que, soi-disant je dérangeais mes camarades. J'allais voir Mme Knickerbocker et...

Irma laissa échapper un grognement.

— Enfin, c'est dingue ! s'étonnait Martin. De nos jours, c'est devenu un crime de répondre aux questions. Je n'y peux rien si je lève la main avant les autres. Mon bras se lève tout seul malgré moi !

Joignant le geste à la parole, il tendit le bras en l'air.

— Je devrais peut-être consulter un neurologue...

— Martin ! cria Irma.

Martin se tut instantanément et lui fit un clin d'œil.

— Uriah et la montre, lui rappela-t-elle.

Oh ! Ah, oui. Bon, c'est tout simple. Je marchais dans le hall, en pensant à mon bras indocile, quand, tout à coup, en tournant dans le couloir, j'ai vu Uriah ouvrir le casier de Nigel. Il a mis la montre de David Berlin dans le casier, l'a refermé, puis est reparti en marmonnant.

— Et c'est maintenant que tu te réveilles ? s'écria Taranee, tellement bouleversée qu'elle en massacrait sa pizza. Tu aurais pu le dire plus tôt !

— Pour me mettre à dos Uriah et ses brutes ? Merci bien ! Ces types-là ne plaisantent pas. Mais je ne veux pas laisser accuser une personne innocente... Que dois-je faire ? demanda-t-il en se tournant vers Irma.

— À ton avis? répondit Irma d'un air insouciant.

En fait, elle se sentait un peu moins insouciante qu'elle ne le laissait paraître. Martin avait parfaitement raison à propos d'Uriah.

Ce voyou était bien capable de le réduire en bouillie !

Seulement, si Martin ne bougeait pas, Nigel pourrait avoir de sérieux ennuis ! Et Martin s'en voudrait à mort. Ce n'est pas non plus ce que Irma souhaitait.

— Demain matin, déclara-t-elle d'un ton léger, tu iras voir Mme Knickerbocker et tu lui conteras tout.

Martin se frotta la tête, ébouriffant ses cheveux déjà en bataille.

— Oui, d'accord, répondit-il sans enthousiasme. Et ensuite, que va-t-il m'arriver ?

Cornelia et Taranee échangèrent des regards complices par-dessus la table.

— Qu'est-ce que tu t'imagines ? Nous te protégerons !

— Bien sûr ! rétorqua Martin d'un ton sarcastique. Et qui va vous protéger, vous ?

— Oh, on sait bien se défendre, dit Hay Lin, en gonflant ses biceps avec un petit sourire rusé.

— Après tout, dit Taranee, ma mère est juge et mon père est avocat.

— Et mon père est dans la police ! renchérit Irma.

— Oui, mais si je parle, répliqua Martin, c'est un docteur dont j'aurai besoin. L'une de vous aurait-elle un parent qui travaille à l'hôpital ? Même un cousin issu de germains, à la rigueur ! Parce que, quand Uriah et ses potes m'auront réglé mon compte, mon visage ressemblera à cette pizza.

La perche était trop belle !

— Et alors ? dit Irma en lui pinçant le bras. Personne ne remarquera la différence…

Cette plaisanterie ne suffit pas à dérider Martin.

— J'espérais recevoir de bons conseils, soupira-t-il en se levant.

— On vient de t'en donner, insista Irma. Occupe-toi de parler avec la directrice et nous on te promet que personne ne te fera de mal ! Tu nous fais confiance, oui ou non ?

Le lendemain matin, Irma et ses amies avaient leur réponse. En tout cas, Irma avait la sienne. Ses amies l'avaient aidée à se hisser jusqu'à la fenêtre de la directrice, elle était donc aux premières loges pour voir ce qui se passait dans son bureau.

Martin et Nigel étaient assis sur deux chaises à haut dossier visiblement très inconfortables. Martin racontait les méfais d'Uriah avec de longs discours et en gesticulant, tandis que Mme Knickerbocker écoutait, le visage impassible.

Son récit enfin terminé, Martin expira profondément et conclut :

— C'est tout, madame !

— Hmmm, je vois, marmonna la directrice.

Irma retint son souffle. Madame Knickerbocker croyait-elle Martin ? Ou Irma serait-elle finalement obligée de la protéger contre la directrice ?

— Ton courage t'honore, Martin, déclara Mme Knickerbocker.

« Ouf ! » se dit Irma.

— J'imagine comme cela a dû être difficile pour toi de me raconter cette histoire, poursuivit la directrice, qui se tourna alors vers Nigel. Je crois que tu as trouvé un nouvel ami.

— Merci, Martin ! murmura Nigel à son voisin souriant.

Martin rayonnait et Irma ne pouvait s'empêcher d'éprouver une certaine fierté.

« Mais… pourquoi Mme Knickerbocker regarde-t-elle fixement vers le coin de la pièce ? » se demanda Irma.

Elle se hissa un peu plus haut pour mieux voir.

— As-tu quelque chose à ajouter, Uriah ? demanda Mme Knickerbocker d'un ton glacial ?

Au même moment, Irma vit Uriah sortir de l'ombre. Il avait donc assisté à toute l'entrevue ! Mais alors... Martin était fichu !

Enfin, dans l'immédiat, c'était Uriah qui se trouvait dans une mauvaise posture.

— C'était une blague, madame dit-il en bégayant. Je voulais juste rigoler un peu.

— Eh bien, j'espère que tu t'es bien amusé, dit Mme Knickerbocker, parce que ta plaisanterie va te coûter quinze jours de renvoi !

— Ouais ! fit tout bas Irma en lançant son poing en l'air.

Elle le lança si bien que ses amis lâchèrent prise, et elle dut sauter par terre.

— Ils quittent le bureau ! Partons ! s'écria Irma une fois en sécurité sur le sol.

Les filles rentrèrent dans le collège en courant et s'arrêtèrent pile à l'angle du couloir où se trouvait le bureau de la directrice. Il était temps. En avançant la tête, elles virent Mme Knickerbocker reconduire les garçons dans le couloir.

— Tout à l'heure, disait-elle, je ferai une annonce pour expliquer à l'ensemble de vos camarades ce qui s'est passé. Oh, un dernier point, Uriah !

Les trois garçons qui avaient commencé à s'éloigner se retournèrent.

— Cette affaire est maintenant terminée. Si la moindre des choses arrivait à Martin – et tu me comprends, je pense – je me fâcherai pour de bon !

— Oh, pas de problème, madame, répondit Uriah avec un petit sourire hypocrite. Je vous le promets.

Martin, gentil comme il était, le crut sur parole. Il s'avança vers cette brute, qui mesurait au moins deux têtes de plus que lui, et lui tendit la main. Uriah lui serra comme s'il voulait lui briser les phalanges et, penché vers lui, marmonna entre ses dents. Irma ne saisit que quelques mots, mais assez, en tout cas, pour comprendre qu'il s'agissait de menaces.

Ensuite, il lâcha brutalement la main de Martin et s'en alla

— Tout va bien, Martin ? demanda Nigel.

— Euh... oui, très bien ! affirma Martin, qui tremblait comme une feuille. Ça ne pourrait pas aller mieux.

Taranee, elle, se sentait beaucoup plus légère. Dès que Mme Knickerbocker eut refermé sa porte, elle sortit comme une fusée de sa cachette.

— Nigel ! s'écria-t-elle. Je suis si contente que tout ça soit fini !

— Nigel jeta un petit coup d'œil vers elle et hocha la tête avec un petit sourire.

— Pour moi, c'est terminé, expliqua-t-il, mais Martin n'est pas sorti de l'auberge. Uriah a dû le menacer.

C'est alors qu'Irma vit Martin s'éloigner discrètement. Il avait l'air complètement déboussolé. Avec Will, Cornelia et Hay Lin, elle courut après lui.

— Martin ! s'écria Will quand elles l'eurent rattrapé. Ne t'inquiète pas pour ce sale type.

— C'est sans importance, dit Martin, qui, jouant les braves, redressa ses maigres épaules. J'ai retourné la question dans tous les sens, et je suis convaincu d'avoir agi comme il le fallait. Vous m'avez aidé à comprendre que, malgré la peur, on pouvait affronter les problèmes.

— Je vais me débrouiller pour régler celui-ci tout seul ! ajouta-t-il. Et si Uriah casse mes lunettes, tant pis. Ce ne sera pas la première fois, ni la dernière sans doute.

Il retira ses lunettes pour les nettoyer, puis, avec un hochement de tête déterminé, s'éloigna d'un air digne – quoique d'un pas un peu hésitant… Car, sans lunettes, il n'y voyait rien !

Irma dut bien admettre que, finalement, Martin était un ami dont on pouvait être fier. Cornelia paraissait du même avis.

— Martin est bien plus courageux que je le pensais, dit-elle à ses amies.

— Mais nous ne le laisserons pas traverser cette épreuve tout seul, déclara Will. Avant de partir pour Méridian, nous allons nous en occuper.

Instictivement, Irma et les autres se regroupèrent autour d'elle tandis qu'elle leur exposait son plan.

9

Will se sentait pleine d'entrain en sortant du collège avec ses amies. La perspective de protéger Martin de ce sinistre Uriah la comblait de joie.

Ses compagnes, en revanche, se faisaient du souci.

— Si nous ne nous transformons pas, chuchota Hay Lin, nos pouvoirs ne sont pas à leur maximum.

— Ils suffiront amplement pour agir contre Uriah et son équipe, dit Irma – avec moins d'assurance, toutefois qu'elle n'en avait montré devant Martin quelques minutes plus tôt.

— Quoi que nous fassions, insista Cornelia, il faut s'arranger pour ne pas être vues.

Cornelia ne semblait pas avoir peur. Elle avait plutôt l'air tendue et de très mauvaise humeur. Mais Will la connaissait assez bien pour savoir que c'était sa façon à elle d'exprimer son inquiétude.

« Patience, se dit-elle. Elles vont bientôt découvrir mon arme secrète ! »

Avec un sourire entendu, Will annonça :

— Ne t'inquiète pas, Cornelia. Nous nous servirons d'un petit truc que j'ai découvert il n'y pas longtemps. Quelque chose qu'on appelle...

Juste avant de prononcer le mot, elle s'arrêta. Mieux valait montrer à ses amies de quoi elle parlait plutôt que de leur expliquer.

Elle serra les poings, ferma ses yeux, et se concentra sur les battements de son cœur et sur le cœur de Kandrakar. Elle sentit l'énergie magique envahir tout son être et, soudain, elle annonça avec fierté :

— L'invisibilité ! Voilà ce que j'ai découvert !

Alors que son corps disparaissait, elle ouvrit les yeux, juste à temps pour voir ses amies blêmir.

— Génial ! cria Irma.

— Tu l'as dit ! répondit Will. J'ai découvert ce pouvoir l'autre jour. Je vais vous expliquer comment ça marche.

En quelques minutes, les cinq Gardiennes avaient disparu – du moins aux yeux de leurs camarades de Sheffield. Une fois bien assurées de leur invisibilité, elles se collèrent contre la clôture du collège et observèrent la foule des élèves au moment de la sortie. Les uns se disaient au revoir, les autres fouillaient dans leur sac à dos ou filaient en vitesse pour rentrer chez eux.

Finalement, celui qu'elles attendaient franchit à son tour le portail. Martin se

reconnaissait facilement : avec ses cheveux blonds, sa raie au milieu et ses épaisses lunettes sur le nez, c'était une proie facile.

Et il le savait. Quand il passa devant elles, Will aperçut des gouttes de sueur sur ses joues. Il avait la main crispée sur la bretelle de son sac à dos. Au moindre bruit – une bestiole dans les feuilles ou un klaxon de voiture – il sursautait et regardait autour de lui. De toute évidence, il se sentait observé.

Il l'était, en effet, et pas seulement par les Gardiennes.

— Pssst ! Martin !

Will se contracta. L'appel provenait d'un porche devant lequel Martin venait de passer.

— Si c'est moi que tu cherches, siffla la voix, je suis là !

— U... Uriah ! s'écria Martin d'une voix étranglée.

« Parfait, se dit Will. Le bureau de Mme Knickerbocker est à deux pas ! »

Uriah sortit de l'ombre, rattrapa Martin et lui passa le bras autour du cou. Pris en tenaille, le frêle garçon n'avait aucun moyen de s'échapper. Pendant qu'Uriah l'entraînait vers un parc un peu plus loin, Kurt et Laurent quittèrent à leur tour leur cachette.

— Je te l'avais promis, Martin, lui rappela Uriah avec un sourire vengeur. Et tu me connais : je suis du genre à tenir parole. Je ne pose jamais de lapin, moi. Pas vrai, Kurt ?

— Oui oui, confirma en gloussant le gros Kurt. Tu l'as même écrit sur ton agenda, ajouta-t-il, en sortant un petit carnet de sa poche de jean. « Quatorze heures trente : tabasser Martin. »

Uriah jeta un coup d'œil à sa montre et secoua la tête.

— Mince alors ! Il est déjà deux heures vingt.

Il relâcha son étreinte pour saisir Martin par le col de son anorak et il ajouta, menaçant :

— Si tu veux, Martin, on peut reporter ça à un autre jour... Que dirais-tu de vendredi même heure ? Maintenant que je suis en congé forcé, j'ai beaucoup de temps libre.

Mais ce n'est pas de ma faute, protesta Martin. Je ne pouvais pas laisser condamner Nigel !

— Eh bien, à mon avis, tu aurais mieux fait de ne pas t'occuper de lui, dit Uriah d'une voix rageuse. Alors demain, si on te questionne, raconte que tu es tombé dans l'escalier.

Martin était horrifié. Il porta les mains à son visage pour se protéger.

— Attends, Uriah ! On peut discuter !

Mais Uriah n'était pas d'humeur à discuter. Il leva le poing.

Martin eut un mouvement de recul. L'heure fatidique avait sonné. Il s'arma de courage pour encaisser la plus belle raclée de sa vie. Tout à coup...

Plonk !

— Aïe ! cria Uriah.

Une pomme de pin venait de tomber sur sa tête ! Il lâcha l'anorak de Martin pour se frotter le crâne.

— Qui … qui a fait ça ? demanda-t-il, en regardant Kurt et Laurent.

— Personne rétorqua Kurt d'une voix traînante, en pointant le doigt au-dessus de lui. Elle est tombée de l'arbre !

« Tombée ? se dit Will. Oh, ça je ne crois pas ! »

De l'endroit où elle se trouvait, à quelques mètres de là, elle avait observé la scène. Perchée dans le pin, Irma aussi avait tout vu. En levant les yeux, Will aperçut une autre pomme de pin qui flottait dans l'air.

— Je ne peux pas lui en lancer une autre ? murmura Irma à Will depuis son perchoir. Rien qu'une ?

— Non, Irma, répondit Will en riant tout bas. Nous sommes cinq. Laisses-en un peu pour les autres !

— Oh, zut ! gémit Irma. Tu n'es pas sympa !

Will préparait sa réplique quand, tout à coup, Laurent cria :

— Hé ! Elle sursauta et se tourna vers un des garçons. Ils n'étaient plus que trois. Martin avais pris la fuite et courait à toute vitesse dans le parc

— Le lâche ! aboya Laurent. Il en profite pour filer !

— Rattrapons-le ! ordonna Uriah.

— O.K., mesdemoiselles ! déclara Will. À nous de jouer maintenant ! Donnons à ces voyous une leçon qu'il méritent !

— Message reçu ! murmura Cornelia.

Tandis que les trois brutes couraient après Martin, Will vit une onde magique verte fendre l'air. C'était le pouvoir de la terre de Cornelia ! Juste au moment où Kurt passait sous l'arbre en courant, une branche lui cingla le visage.

— Aïe ! grogna-t-il en tombant lourdement sur le dos.

Il resta ainsi à geindre par terre.

Bien qu'inquiet de ce qui venait d'arriver à Kurt, Laurent continua à courir.

— Joli, hein ? commenta Cornelia par télépathie.

La voix de Taranee lui répondit, précédant Laurent de quelques mètres.

— Oh, je peux faire mieux que ça, et sans même utiliser mes pouvoirs.

— Ouaaah ! cria Laurent.

Il venait de s'étaler de tout son long !

— Bravo, Taranee ! dit Hay Lin, de la cime d'un arbre. Le bon vieux croche-pied marche à tous les coups !

Uriah s'arrêta dans son élan et se retourna.

— Debout, crétin ! beugla-t-il. Il faut retrouver Martin.

Laurent se leva péniblement.

— Oh, le pauvre Laurent ! se moqua Taranee. Il est tout sale.

— Je vais y remédier, lança Irma. Une bonne douche froide lui fera le plus grand bien !

En voyant un jet d'eau arroser la tête de Laurent, Will dut mettre la main devant sa bouche pour qu'on ne l'entende pas rire.

— Aïe ! cria-t-il en s'essuyant les yeux.

Hay Lin aussi avait son rôle à jouer.

— Et pour se sécher rapidement… Un petit vent sibérien, bien glacé ! suggéra-t-elle.

Wooouf !

Un violent courant d'air vint frapper Laurent en pleine poitrine et le fit reculer en titubant.

— Mais que se passe-t-il ? beugla-t-il.

Will ne voulait pas être en reste

— Ces deux-là ont eu leur dose, occupons-nous d'Uriah, maintenant !

— Hé ! dit Cornelia, nous avons perdu sa trace ! Il était là il y a une minute, pourtant.

Will, surprise, regarda autour d'elle. Et Cornelia avait raison : la grande brute avait disparu !

— Il a dû partir à la recherche de Martin, fit remarquer Irma. C'est de ce côté-là qu'il faut chercher !

— Par ici ! cria Will en pointant le doigt vers les arbres.

— Par où ? répliqua Hay Lin. N'oublie pas que tu es invisible !

— Ah oui, c'est vrai ! dit Will en riant. Alors suivez le bruit de mes pas.

Là-dessus, elle se lança à la poursuite du rouquin et ses amis l'imitèrent. Toutefois, elles n'allèrent pas bien loin. Will s'arrêta brusquement : elle venait d'apercevoir quelque chose...

« Martin ! » se dit-elle.

Une centaine de mètres plus loin, en effet, Martin se cachait derrière un orme. Serrant son sac contre lui, il soufflait, soulagé.

— Je les ai semés ! soupira-t-il, satisfait.

— Tu rêves, serpent à lunettes ! lui répondit une voix sinistre.

Martin jeta un coup d'œil de l'autre côté du tronc.

— Oh, non ! s'exclama-t-il.

Uriah était là et l'attendait.

— Je me fiche de ce qui est arrivé à Kurt et Laurent, grogna-t-il. Je me débrouillerai tout seul.

Sans même laisser le temps aux Gardiennes de réagir, Uriah fonça sur Martin et lui asséna un coup dans la poitrine.

— Oups ! cria Martin en tombant en arrière, tandis que son sac à dos s'écrasait sur le sol à côté de lui.

— Dommage ! Kurt et Laurent vont manquer le spectacle, dit Uriah qui se préparait à frapper une deuxième fois.

« On n'a pas le temps de courir au secours de Martin ! songea Will, au supplice. Il va se faire massacrer ! Je ne veux pas voir ça. »

Elle ferma les yeux très fort. Que les Gardiennes aient manqué à leurs engagements vis-à-vis de Martin lui paraissait incroyable !

10

Taranee mit la main devant sa bouche pour s'empêcher de crier.

« Si seulement je pouvais utiliser mes pouvoirs contre ce lâche ! se disait-elle. Mais une boule de feu, même pour un type comme lui, ce serait un peu exagéré. Que faire ? Martin va être roué de coups ! »

— Je vais me faire un plaisir de raconter ça à Kurt et Laurent ! disait Uriah à sa victime tremblante tandis qu'il reculait pour frapper.

— Alors, raconte-leur aussi ça ! lança une voix.

Surgissant de derrière un arbre, un garçon en veste verte saisit le poing d'Uriah, juste avant qu'il ne touche le visage de Martin.

Uriah, furieux, essaya de se libérer.

— Arrête ! ordonna le garçon.

Uriah regarda par-dessus son épaule et découvrit l'impudent qui avait osé s'interposer.

— Toi ! hurla-t-il.

— Nigel ! s'exclama Taranee, folle de joie. C'est Nigel !

Uriah, lui, était beaucoup moins ravi, et sa réaction fut violente. Se dégageant brutalement, il dit d'un ton menaçant :

— Tu arrives au bon moment, mon vieux. J'avais justement quelque chose à te demander !

En un clin d'oeil, il saisit le sac de Martin par terre, et, tandis que Martin s'éloignait précipitamment, il balança le sac bourré de livres vers Nigel. Celui-ci évita le coup en reculant.

« Bon réflexe ! » se dit Taranee.

Uriah balança à nouveau le sac. Cette fois, Nigel le prit en pleine poitrine.

« Oh non ! J'ai parlé trop vite », songea Taranee.

Nigel poussa un grognement et tomba sur l'herbe. Pendant qu'il essayait de reprendre son souffle, Uriah en profita pour lever le sac au-dessus de sa tête.

— Tu as oublié tes copains, Nigel, mais eux ne t'ont pas oublié !

Taranee, épouvantée, s'apprêtait cette fois à employer les grands moyens pour obliger Uriah à lâcher le sac. Mais quelqu'un d'autre avait, apparemment, son mot à dire. Une voix s'éleva derrière Uriah.

— Excuse-moi !

Surpris, Uriah tourna la tête.

Baaam !

Uriah chancela.

— Personne ne traite mon sac à dos de cette façon ! déclara son agresseur.

— Bravo, Martin ! cria Nigel, qui se releva d'un bond, tandis qu'Uriah s'effondrait.

Hé oui ! Martin venait de sauver Nigel une nouvelle fois.

Nigel, reconnaissant, prit son sauveur par l'épaule.

— Désolé de n'être pas intervenu plus tôt, dit-il. J'ai commencé à te suivre dès que je t'ai vu sortir du collège, mais ensuite j'ai perdu ta trace.

— Ne t'excuse pas, répondit Martin en riant. Tu as sauvé mes montures !

Là-dessus, il enleva ses lunettes pour les épousseter.

Pendant qu'Uriah se remettait lentement, Martin et Nigel sortirent ensemble du parc, unis par une nouvelle complicité.

Taranee regretta alors d'être invisible. Elle mourait d'envie de courir après Nigel pour le féliciter et s'excuser d'avoir douté de lui.

Will, quant à elle, avait d'autres priorités.

— Bon, voilà qui est réglé ! déclara-t-elle. On va enfin pouvoir s'occuper de nos affaires. On devrait partir pour Méridian sur-le-champ. On n'a plus rien à faire ici.

Quelques minutes après, les Gardiennes arrivaient au parc d'attractions.

— Attention où vous mettez les pieds ! avertit Irma en désignant une piste de montagnes russes toute déglinguée. Cet endroit tombe en ruine !

— Ça devait être chouette autrefois, soupira Cornelia. Quand mon père était petit, il venait ici tous les dimanches.

Tandis qu'elles avançaient, méfiantes, Will se prit soudain la tête entre les mains en gémissant et se mit à tituber.

— Attendez, gémit-elle. Je sens quelque chose !

— Le sixième sens de Will s'est réveillé, déclara Hay Lin. Nous sommes donc au bon endroit.

Dès que Will se trouvait près d'une porte de la Zone Obscure du Non-Lieu, elle était prise d'étourdissements et se mettait à transpirer à grosses gouttes.

Taranee l'attrapa par le bras pour l'empêcher de s'effondrer sur le sol boueux.

Il fallut quelques minutes à Will pour surmonter ce malaise. Une fois remise, elle regarda autour d'elle.

— Ah, ah ! fit-elle.

Elle tendit le doigt vers une rivière d'eau croupissante, où flottaient deux bateaux en forme de cygne. Cette rivière menait à un « Tunnel de l'Amour » avec une entrée en forme de coeur.

— La porte doit être là-dedans, dit-elle.

Taranee fit la grimace. Ce tunnel n'avait rien d'attirant – surtout sans Nigel…

Irma ne montrait pas davantage d'enthousiasme.

— Tu es vraiment certaine de ce que tu avances ? demanda-t-elle à Will. Avant de s'engouffrer dans ce trou noir, j'aimerais avoir plus de garanties !

Cornelia poussa un grognement méprisant et sauta dans la rivière artificielle. Plongée jusqu'aux genoux dans l'eau trouble, elle se tourna vers Irma.

— C'est à prendre ou à laisser, Irma. Will ne s'est jamais trompée jusqu'ici !

« Oh, se dit Taranee en entrant dans l'eau à son tour avec précaution. Avant, Cornelia contestait toutes les décisions de Will, et maintenant elle est toujours la première à prendre sa défense. C'est presque aussi incroyable que le fait d'être Gardienne ! »

— Will ne s'est peut-être jamais trompée, protesta Irma, encore la tête sèche. Mais il y a un début à tout. Et si je prenais un de ces cygnes ? Ce marécage ne m'inspire pas…

— Si tu ne veux pas te mouiller les pieds, lui rappela sèchement Cornelia, utilise tes pouvoirs, puisque tu contrôles l'eau.

Will les interrompit en entrant dans l'eau à son tour :

— Nous allons toutes les utiliser. Préparez-vous à la métamorphose, les filles ! J'appelle le Coeur de Kandrakar !

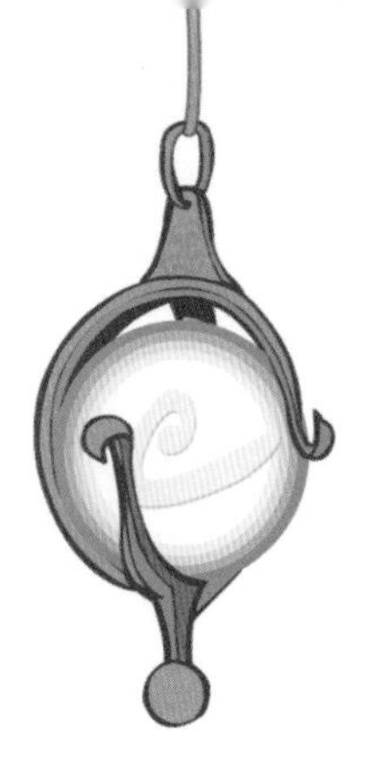

11

Quelques minutes plus tard, les cinq Gardiennes, revêtues de leur tenue de combat, s'apprêtaient à entrer dans le « Tunnel de l'Amour ».

« Espérons que ce tunnel conduit effectivement à une porte », songea Will.

Elle fit signe à ses amies de la suivre et passa l'ouverture en forme de coeur. Au fur et à mesure qu'elles avançaient et que la lumière du jour faiblissait, le tunnel – avec ses murs de bois fendillés décorés de coeurs et de chérubins – leur donnait de plus en plus la chair de poule. Will se demandait quel genre de poissons ou d'autres bestioles pouvaient nager dans ces eaux troubles.

— Berk ! s'écria Irma. Mes bottes sont pleines de boue !

— Arrête de râler ! dit Cornelia, agacée. J'ai l'impression d'avoir emmené ma petite soeur !

— Ça suffit, vous deux ! intervint Hay Lin. Regardez plutôt !

Will était si occupée à avancer pas à pas dans l'eau sombre qu'elle n'avait même pas songé à jeter un coup d'oeil vers l'extrémité du tunnel. Elle leva alors les yeux pour voir ce qui excitait tellement Hay Lin.

Plus loin, dans le noir, un cercle argenté tourbillonnait en lançant des étincelles d'une façon plutôt inquiétante…

Pourtant, Will fut ravie de le voir !

— C'est la porte que nous cherchions !

s'écria-t-elle. C'est par là qu'est arrivé Vathek.

Les cinq filles se mirent à courir vers la porte.

Will, toujours en tête, appréhendait malgré tout la traversée de ce cercle. Les Gardiennes avaient franchi la Muraille plusieurs fois et chaque expédition s'était avérée plus périlleuse que la précédente.

Retenant son souffle, elle plongea dans l'anneau magique.

Ses amies la suivirent, l'une après l'autre.

Le passage se fit sans problème, hormis quelques grésillements inévitables.

À la grande surprise de Will, elles débouchèrent directement dans une rue pavée ! Dès que la dernière Gardienne – Irma, bien sûr – eut franchi la porte, celle-ci disparut dans l'ombre d'une cage d'escalier.

— Ouah ! s'exclama Cornelia.

— C'était trop facile ! observa Taranee. Je me demande si nous sommes au bon endroit. En tout cas, si c'est Méridian, la ville a bien changé !

— Tu crois qu'on s'est trompées de route? questionna Irma.

— Will n'en revenait pas non plus. La dernière fois qu'elles étaient venues, la population paraissait aussi triste que le ciel. Les gens marchaient dans les rues sales d'un pas pesant, la tête basse, l'air préoccupé. On sentait partout le poids de la tyrannie.

Aujourd'hui, il ne restait aucune trace de ce désespoir. Une foule joyeuse déambulait dans les rues. Malgré leur aspect étrange, les habitants de Méridian ressemblaient par bien des côtés aux humains. Ils aspiraient au bonheur, à la liberté, et attendaient seulement que quelqu'un leur rende l'espoir.

Et ce quelqu'un, comprit soudain Will, c'était Elyon, la lumière de Méridian !

— Ce doit être la cérémonie du couronnement, dit-elle à ses amies. Nous arrivons juste à temps !

— Alors, il n'y a pas une minute à perdre, dit Cornelia. Nous devons trouver Elyon et rester auprès d'elle.

— Cela signifie que nous devons découvrir un bon moyen d'entrer dans le château de Phobos ! ajouta Hay Lin.

Will fronça les sourcils. Ses épaules s'affaissèrent. Encore un obstacle !...

« Hé, se souvint-elle alors. J'ai peut-être la solution ! Comment n'y avais-je pas pensé? »

Faute de temps pour s'expliquer, elle se contenta de repérer rapidement la position de ses amies, puis tourna les talons et se mit à courir.

— Suivez-moi, cria-t-elle aux Gardiennes. Je connais un raccourci !

Sans un mot, les filles lui obéirent. La force surnaturelle qui les animait leur permit de rejoindre Will en un éclair. Elles s'arrêtèrent brusquement dans leur élan devant un buisson de roses aux délicats pétales noirs et veloutés.

Naturellement, Irma, la curieuse, tendit le doigt vers une de ces superbes fleurs.

Will se précipita pour l'empêcher de les toucher.

— De l'autre côté de ces rosiers se trouve le jardin du palais, expliqua-t-elle. Mais ces roses sont ensorcelées. Elles contiennent un poison violent ! Je m'y suis frottée une fois, et je sais de quoi je parle. Pour Cornelia, cependant, dit-elle en regardant son amie, l'obstacle ne me paraît pas insurmontable.

— J'espère que tu dis vrai, lui répondit Cornelia d'un ton dubitatif.

Rejetant ses cheveux blonds en arrière, elle tendit les bras devant elle. De ses mains jaillirent une lumière verte et un puissant courant d'énergie.

Zaaaamm !

Cornelia venait d'ouvrir un étroit passage à travers le jardin de roses.

— Une fois dans le jardin de Phobos, dit Irma, que ferons-nous?

— Allez, dépêchez-vous ! cria Cornelia. La magie dans ces fleurs est très puissante et je ne sais pas combien de temps je pourrai garder le passage ouvert.

Will se précipita aussitôt, et les trois autres

suivirent. Arrivées de l'autre côté, elles jetèrent un coup d'œil inquiet vers Cornelia. Ses bras tremblaient et son visage était cramoisi. Il lui faudrait bientôt lâcher prise. Enfin, elle put s'élancer à son tour. Les buissons commençaient déjà à se refermer derrière elle, quand Cornelia fit un grand saut et atterrit en dérapant devant ses amies. Elle était saine et sauve, mais il s'en était fallu de peu !

— Bravo, Corny ! dit Irma sans aucune ironie.

Will aidait son héroïque amie à se relever quand une voix retentit derrière elle :

— Tiens, tiens ! En voilà une surprise !

La voix lui parut douce et familière. Will se retourna et son visage s'éclaira.

— Hé ! s'écria-t-elle, joyeuse. Comme je suis contente de te voir, Daltar !

Elle courut serrer la main calleuse de son ami, heureuse de retrouver ce visage sympathique. Elle avait tout de suite reconnu l'homme aux cheveux bleu-gris, aux joues zébrées de vert et aux yeux cerclés d'un masque rouge. Pendant ce temps, ses amies

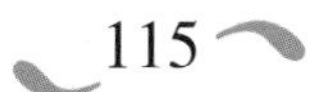

chuchotaient entre elles.

— Ce doit être le jardinier dont elle nous a parlé, dit Hay Lin.

Elle ne se trompait pas. Will avait rencontré Daltar un jour où elle s'était égarée dans les jardins de Phobos. Il lui avait raconté son histoire et ils étaient devenus alliés.

Phobos avait détruit la vie de Daltar, comme celle de beaucoup d'autres. Il l'avait forcé à créer la sinistre barrière de rosiers autour de son jardin. Et pour s'assurer que Daltar veillerait toujours sur ces fleurs délicates, il avait changé la femme et la fille du jardinier en roses noires. La mère et la fille vivaient à présent ici, perdues au milieu de ces épais buissons. Aussi Daltar s'occupait-il de ces fleurs avec le plus grand soin, espérant ardemment découvrir un jour le moyen de rompre cet enchantement pour retrouver sa famille.

Si on pouvait donner sa vraie place à la Lumière de Méridian, se disait Will, ce serait un bon début, et il lui tardait d'exposer son plan à Daltar.

— Je suis content de te revoir, jeune fille, dit le jardinier avec un sourire un peu triste. Et tes amies, je présume, sont…

— Exactement, confirma Will sans attendre la fin de sa phrase. Ce sont les quatre autres Gardiennes de la Muraille. Nous sommes revenues pour protéger Elyon.

— Elle est peut-être en grand danger ! intervint Cornelia.

— Le danger dont vous parlez s'appelle Phobos, confirma Daltar. Le prince complote quelque chose. Depuis un certain temps, il s'isole dans sa cachette souterraine, l'Abîme des ombres, et ce n'est pas bon signe.

— Le nom n'a rien de très engageant, en effet, commenta Irma.

Daltar hocha la tête. Will le prit par les épaules. En Gardienne, elle était presque aussi grande que lui.

— Il faut qu'on parle à Elyon tout de suite, insista-t-elle.

— Ce ne sera pas facile, répondit Daltar en se passant la main dans les cheveux. La princesse est dans ses appartements, et les Murmurants rôdent dans tout le château. Mais j'ai peut-être un moyen de vous aider.

Will jubilait. « Jamais je n'aurais pensé me faire de vrais amis dans la Zone Obscure du Non-Lieu, se dit-elle. Encore moins des amis qui nous aideraient à sauver le monde. J'ai l'impression que je m'habitue peu à peu à ce pays étrange, comme je m'habitue à Heatherfield.

Espérons seulement, songea-t-elle avec un peu d'inquiétude, que le plan de Daltar va marcher et que je pourrai revoir ma ville ! »

Elyon se regarda dans son miroir haut de trois mètres. Elle se reconnut à peine, vêtue de son ample robe violette et son écharpe de tulle. Cette fille élégante ne ressemblait guère à la collégienne de Sheffield que ses amies avaient connue.

« Mais ce n'est pas le moment d'évoquer le passé. Je serai bientôt reine de Meridian. Il faut que je me fasse de nouveaux amis ici : des gens qui m'aideront à transformer ce monde. Un énorme travail nous attend.

Mais aujourd'hui, je vais m'amuser. Je pense qu'en tant que Lumière de Méridian, j'ai droit à un jour de bonheur ! Vivement que maître Jink ait terminé ces retouches ! »

Du haut du piédestal sur lequel elle était perchée, Elyon regarda maître Jink. Le vieux tailleur ratatiné était occupé à faire des points minutieux dans l'ourlet de sa robe.

— Vous êtes superbe, s'exclama la petite créature en remontant les manches de sa tunique grise. Encore un ou deux points et ce sera terminé.

— J'espère bien, maître Jink, dit Elyon avec un large sourire.

La créature tirait une dernière aiguillée de fil violet à travers l'ourlet lorsqu'on frappa à la grande porte de bois sculpté de la chambre.

— Qu'est-ce que c'est ? protesta maître Jink. J'ai demandé qu'on ne nous dérange pas. Qui cela peut-il être ?

— Je ne sais pas, répondit Elyon. Avec un sourire espiègle, elle ajouta : Eh bien, on va le savoir tout de suite !... Entrez ! cria-t-elle.

La porte s'ouvrit devant un homme aux joues zébrées de traits verts, avec un masque rouge autour des yeux. Cedric mettait le même genre de masque, mais sur lui, l'effet était plus inquiétant. Elyon avait le sentiment que cet homme portait un masque, non pas pour impressionner les autres, mais plutôt pour se cacher. Tout dans son allure – ses épaules tombantes, sa mâchoire relâchée et même sa queue de cheval bleu-gris – exprimait la douleur.

Tout sauf le superbe bouquet de fleurs qu'il tenait à la main. Elyon se demandait comment des fleurs aux couleurs si vives pouvaient s'épanouir dans ce triste royaume. Elles devaient venir du jardin de Phobos – le seul endroit à Méridian où la végétation prospérait.

Dans ce cas, cet homme devait être un allié. À moins que...

— Je vous prie de pardonner cette intrusion, radieuse Majesté, dit l'homme d'une voix

douce, en s'inclinant. Je vous apporte mes plus belles fleurs pour orner vos cheveux.

« Des fleurs ? s'interrogea Elyon. Maître Jink et moi avons parlé de rubans, de rubans violets chatoyants, mais pas de fleurs ! »

— Il doit y avoir une erreur, répondit-elle. Je n'ai rien demandé de tel.

L'homme s'inclina alors plus profondément et ajouta :

— Avec les meilleurs vœux de Will et de vos autres amies, qui vous attendent dans le jardin.

Elyon resta un moment sans voix.

Si ses amies avaient fait tout le voyage depuis Heatherfield jusqu'à la Zone Obscure du Non-Lieu, précisément ce jour-là, c'est qu'il y avait un problème.

Revenant brusquement à la réalité, elle descendit de son piédestal et sortit en hâte de sa chambre, accompagnée du jardinier.

— Mais, votre altesse... cria maître Jink, désemparé.

Elyon n'avait pas le temps de s'expliquer auprès du brave tailleur. De toute façon, elle n'aurait pas su quoi lui dire.

Elle partit donc sans un mot et suivit le jardinier à travers le dédale de couloirs du palais jusqu'au jardin de Phobos. La splendeur de ce jardin l'émerveillait toujours, surtout après avoir longtemps contemplé le triste paysage de Méridian.

Daltar posa un doigt sur ses lèvres, pour lui signifier de ne pas faire de bruit. Puis, il conduisit Elyon à travers d'autres tunnels et couloirs remplis de treillis, de buissons taillés en forme d'arches au-dessus de sentiers herbeux.

Tous deux s'arrêtent enfin dans un minuscule bosquet au fond du jardin. Là les attendaient – presque aussi exotiques que les

superbes fleurs qui les entouraient – les Gardiennes de la Muraille. Les amies d'Elyon.

— Vous êtes revenues pour moi ! s'écria Elyon.

— Oui, Elyon ! répliqua Will en s'avançant vers elle. On n'a pas beaucoup de temps, alors écoute ce que nous avons à te dire. Ensuite, tu devras prendre une décision !

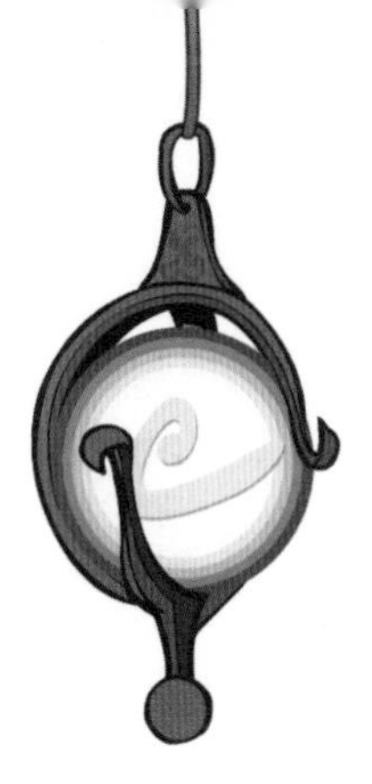

Dans sa petite chambre, Cedric se préparait pour le couronnement et s'étonnait de se sentir si calme. Elyon aurait sans doute utilisé un autre mot pour qualifier son attitude : elle l'aurait traité d'arrogant.

« D'accord, *arrogant*, se dit Cedric avec un rire mauvais. J'ai toutes les raisons de l'être. Dans quelques minutes seulement, Phobos

va s'emparer du pouvoir d'Elyon – un pouvoir qu'il aurait dû avoir depuis des années – et il le partagera avec moi ! Et quand les citoyens de Méridian se soulèveront, après la destruction de leur précieuse princesse, les sentinelles obscures de Phobos nous protégeront. »

Le plan était infaillible, songeait-il avec une profonde satisfaction.

« Maintenant, tout ce que je dois faire, c'est rester calme quand j'arriverai dans la chambre de Phobos. Il ne faut pas laisser croire au prince que je revendique la moindre part de cette victoire. La gloire de cette journée lui reviendra entièrement. »

Cedric lissa ses longs cheveux blonds et effaça toute expression de son visage. Il quitta sa chambre et se dirigea vers la suite royale de Phobos. Il y trouva le prince occupé à arpenter le sol de marbre dans sa plus belle robe turquoise. Phobos triomphait déjà.

— Le cortège est prêt, Seigneur, annonça Cedric en s'inclinant.

— Parfait ! Convoque ma sœur ! Elle défilera à mes côtés.

— Je suis déjà là, Phobos.

Cedric haussa un sourcil et se retourna vivement. L'arrivée soudaine d'Elyon n'était pas prévue dans son plan. Il devait aller la chercher dans sa chambre, puis surveiller tous ses faits et gestes durant les derniers moments de son existence de princesse.

Cedric scruta son visage, pour y déceler l'expression insolente qu'elle affichait ces derniers jours. Mais il ne remarqua rien de particulier. Elyon était sereine et pâle, et même un peu hébétée.

« Peut-être a-t-elle finalement pris conscience de la gravité de sa position en tant que future reine », pensa-t-il. Il réprima un rire. Elle ne se doutait pas de ce qui l'attendait.

— Elyon ! s'écria Phobos, arrachant Cedric à sa rêverie.

Le prince se précipita vers sa sœur, le visage fendu d'un large sourire.

— Te réjouis-tu ? lui demanda-t-il. Le moment tant attendu est enfin arrivé, et la couronne t'appartiendra bientôt !

Cedric se dirigea vers le coffre ouvert au

centre de la pièce et en sortit un coussin de soie rouge. Sur le coussin était posée la couronne d'Elyon, incrustée de joyaux et rayonnante d'énergie magique.

— Oui, répondit Elyon d'une voix douce. Je m'en réjouis. J'espère seulement en être digne, mon frère.

Cedric baissa la tête pour dissimuler un sourire.

« Oh, ne t'inquiète pas, ma petite Elyon, se dit-il. Tu t'en sortiras très bien. »

Quelques minutes plus tard, la procession commençait. Flanqués de dizaine de soldats, Phobos et Elyon marchaient au milieu d'une foule de citoyens. Cedric les suivait, tenant toujours la couronne.

Les acclamations résonnaient dans sa tête comme des battements de tambour. L'immensité de la foule l'impressionnait. Des milliers de sujets étaient venus acclamer leur nouvelle reine.

Des milliers et des milliers, même, songeait Cedric, un peu nerveux. Il jeta un coup d'œil par-dessus son épaule. La phalange de soldats derrière lui s'étalait sur plus de dix rangées.

« Avec eux, on est tranquille, se dit-il. Du moins, je l'espère. »

Il essaya d'oublier les acclamations agaçantes des paysans. Mais certaines parvinrent quand même à ses oreilles.

— Vive Elyon ! cria un petit garçon aux oreilles vertes.

— Longue vie à la princesse ! lança quelqu'un d'autre.

— Vive la Lumière de Méridian !

Cedric secoua la tête. « Pauvres idiots, se disait-il. Comme s'ils savaient ce qui est bon pour eux... »

Par-dessus les têtes, Cedric aperçut une estrade, surmontée d'un élégant dais de soie rouge. Les soldats étaient déjà postés tout autour et maintenaient la foule à distance.

« Bien, se dit Cedric, nous y sommes presque. Le plan fonctionne. »

— Hé ! dit une voix sur sa gauche, ces gens ont l'air vraiment heureux.

Cedric crut reconnaître cette voix.

Il jeta un coup d'œil vers l'assistance de ce côté-là et vit six minces créatures, enveloppées dans de vilains manteaux bruns, le visage caché sous leur capuchon.

« Elles sont probablement trop laides pour se montrer », se dit Cedric avec dédain.

Puis, sans plus se soucier d'elles, il continua de marcher lentement derrière Phobos et Elyon en direction de l'estrade. Il essayait en vain d'ignorer les bribes de conversations qui lui parvenaient de la foule.

— Et pourquoi ne serait-on pas heureux ? dit une voix grasse. Cet usurpateur a enfin compris qu'il était temps pour lui de se retirer. Regardez ce sourire arrogant ! Quand je pense qu'il n'avait jamais daigné s'abaisser à marcher parmi nous...

— Oui, renchérit une autre voix rauque. La princesse devrait le punir pour tout le mal qu'il nous a fait.

Ces propos hostiles irritaient Cedric au plus haut point. En temps normal, de telles déclarations auraient entraîné un châtiment immédiat – que Cedric aurait été ravi d'infliger lui-même.

« Aujourd'hui, songea-t-il fièrement, nous avons des préoccupations plus importantes. Mais ces créatures ne perdent rien pour attendre : elles vont bientôt connaître un châtiment pire que la prison. »

— Vous avez vu qui est là ?

Cedric dressa l'oreille. Cette voix lui semblait familière.

— Vathek et Caleb ! reprit la voix. Je parie que cet endroit est plein de rebelles prêts à agir au premier incident.

— On dirait que nous ne sommes pas les seules à nous faire du souci, dit une troisième voix féminine.

« Ces propos sont sans importance, se répéta Cedric, tandis que la procession atteignait l'estrade. Si nombreux soient-ils, les rebelles ne peuvent pas vaincre notre armée. Il n'y a rien à craindre. »

— Regardez ! cria une voix aiguë. La cérémonie commence !

Cedric retint son souffle tandis que Phobos prenait position à l'avant de l'estrade. À côté de lui, Elyon paraissait toute petite et fragile.

— Peuple de Méridian, commença Phobos – sa voix amplifiée par la magie résonnait au-dessus de l'assistance. Ce jour est un jour de grande joie pour notre ville et pour tout le royaume !

Il se tourna vers Elyon.

— Un royaume trop longtemps privé de sa reine légitime, poursuivit-il, et gouverné par un frère trop longtemps privé de sa sœur bien-aimée.

Cedric inclina la tête et ferma les yeux pour mieux savourer le discours de son maître.

— Il a au moins l'honnêteté de reconnaître qu'il a mal agi ! dit une des personnes que Cedric avait déjà entendues.

— Chut ! fit sa compagne.

Cedric mourait d'envie d'imposer le silence à tout ce monde, mais il concentra son attention sur Elyon et Phobos, qui lui fit signe d'apporter la couronne. Il s'avança et, les mains tremblantes d'émotions, tendit le coussin à son maître.

— Ainsi, déclara Phobos, soulevant la cou-

ronne lumineuse de son support, je te remets, Elyon, ce symbole de justice et de sagesse, d'honneur et de loyauté. Que ton pouvoir éternel illumine l'esprit et le chemin de tes fidèles sujets !

Elyon attendait, la tête inclinée et les yeux clos.

— Princesse de Méridian, je te salue ! ajouta Phobos en posant la couronne magique sur les épais cheveux blonds de sa sœur.

« Ça y est ! » se dit Cedric. Les épaules d'Elyon s'affaissèrent et sa poitrine se souleva. Elle se mit à haleter et à tituber.

— Et je te dis adieu ! conclut Phobos avec un rire hystérique.

— *Aaaah !*

Le cri d'Elyon déchira le ciel – un cri de douleur et de désespoir.

— Qu… que se passe-t-il ? s'écria quelqu'un dans la foule.

— C'était un piège ! beugla un autre.

Cedric vit alors le corps d'Elyon devenir flasque puis s'effondrer sur le sol.

— Désolé, très cher Elyon, dit Phobos en ricanant, mais finalement, c'est mieux ainsi. Jeune comme tu es, tu aurais gaspillé ton immense énergie, tandis que moi, je sais comment l'utiliser.

Phobos se pencha sur le corps de sa sœur. Son regard était froid et dur. Il prit la tête de la jeune fille entre ses mains, puis la lâcha.

La tête pendait, sans vie.

Elyon était morte.

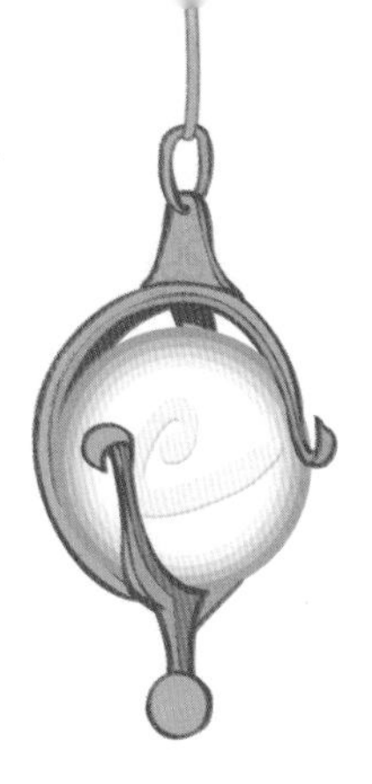

Riant à nouveau, Phobos s'empara de la couronne. Il contempla avec ravissement l'objet lumineux.

— Phobos est un monstre! cria une femme dans la foule.

— Un scélérat! renchérit une autre.

— Un criminel!

— Un *traître* !

Cedric emjamba le corps d'Elyon, repoussant du pied le bas de sa longue jupe violette, et s'approcha du prince.

— Seigneur, le prévint-il, le peuple proteste.

Laisse-les brailler, Cedric.

La rébellion commençait déjà. Les citoyens de Méridian, d'habitude soumis, s'avançaient en masse vers l'estrade, prêts à mettre le prince en pièces. Mais sans beaucoup d'efforts ni de menaces, les soldats de Phobos faisaient reculer la foule à coup de matraque.

— Misérables rustres ! vociféra Phobos par-dessus les cris de la foule, vous serez les premiers à pâtir de mon nouveau pouvoir.

L'énergie d'Elyon se trouve dans cette couronne, mais dans un instant elle aura un nouveau propriétaire !

Solennellement, Phobos plaça la couronne sur ses cheveux blonds et luisants.

Cedric n'osait respirer. Phobos ne bougeait pas.

— Comment vous sentez-vous ? demanda Cedric prudemment.

— Je ne sais pas, répondit Phobos, en levant les yeux vers la lumière qui émanait toujours de la couronne. Il n'y a qu'un moyen de voir si la magie a fait de l'effet.

Il se tourna vers la foule, le bras tendu en avant.

— Je vais me débarasser de ces misérables créatures d'un simple revers de main ! hurla-t-il.

Son bras tremblait.

Cedric suffoquait de plaisir. C'était le moment qu'il avait attendu toute sa vie. Son maître allait accéder au plus haut niveau de pouvoir.

— Odieux peuple de Méridian, je rêve de cet instant depuis toujours !

Mais le rire diabolique de Phobos s'arrêta brusquement.

— Que se passe-t-il ? s'écria Cedric, horriblement déçu.

Phobos n'avait pas réussi à produire le souffle magique qui devait balayer toute la population de Méridian !

La foule formait toujours une masse compacte devant lui, et les visages exprimaient plus que jamais la stupéfaction et la colère.

Une silhouette avançait rapidement au milieu de l'assistance, la tête dissimulée sous un capuchon. Arrivée devant Phobos, elle repoussa son capuchon en arrière, laissant apparaître une belle chevelure rousse et de grands yeux bruns. Cedric la reconnut.

« C'est Will ! »

— Ne te fatigue pas, Phobos ! déclara Will. Tes nouveaux pouvoirs n'existent pas !

Normalement, Cedric aurait éclaté de rire devant des propos si arrogants, et son maître aurait détruit cette fille sur-le-champ. Mais rien n'était normal en cet instant, et Cedric lui-même sentait qu'il y avait chez elle un pouvoir exceptionnel.

« La Gardienne du Cœur de Kandrakar ! se dit-il, terrifié. Comment les Gardiennes de la Muraille ont-elles fait échouer le plan de Phobos ? »

Cornelia pointa le nez hors de son capuchon. Elle était impatiente de voir la réaction de Phobos en entendant les paroles de Will.

Son amie avait déjà porté le premier coup en ôtant son capuchon pour révéler son identité. Cornelia vit Cedric pâlir de terreur au moment où il reconnaissait la Gardienne du Cœur de Kandrakar.

À présent, Will se rapprochait de son ennemi. Elle s'arrêta devant l'estrade. Encore cachées sous leur capuchon, Cornelia et ses amies se regroupèrent derrière elle.

— Tes nouveaux pouvoirs n'existent pas, dit Will au tyran. Celle dont tu as cru absorber le pouvoir tout à l'heure n'était pas la véritable Elyon, mais un double que nous avons créé !

— Les Gardiennes ! s'exclama Cedric, que la surprise avait rendu muet jusque-là.

Phobos, lui, pensait surtout au corps allongé à ses pieds, celui de la fille en robe violette.

— Comment ça, la véritable Elyon? bégaya-t-il.

Son regard d'acier se troubla et ses yeux s'arrondirent de stupeur. Pour la première fois depuis son arrivée sur la place de la ville, son sourire méprisant disparut.

— Qu'est-ce que tout cela signifie?

Cornelia sentit un mouvement à côté d'elle. D'un des capuchons bruns émergea un fin visage sous une frange blonde.

— Cela signifie, cher frère, que je suis ici.

« À moi, maintenant ! » se dit Cornelia. Elle rejeta son capuchon en arrière. Taranee, Hay Lin et Irma se découvrirent aussi. Mais Cornelia n'avait d'yeux que pour sa meilleure amie. Elle était fière de voir Elyon affronter ainsi son frère.

— C'est la princesse ! cria Cedric.

— J'ai été trompé ! hurla Phobos, les poings serrés et regardant, effaré, l'image d'Elyon qui se dissipait à ses pieds.

« Où est passé le conquérant de l'univers, maintenant ? » songea Cornelia, amusé.

Derrière elle, une voix d'homme cria :

— Le jour du jugement est enfin arrivé, Phobos !

Au son de cette voix – profonde et pourtant claire comme un carillon – le cœur de Cornelia se mit à palpiter et ses mains commencèrent à trembler. Puis un large sourire éclaira son visage.

— Caleb ! s'écria-t-elle.

Par-dessus les têtes des paysans qui se battaient et du grand Vathek, qui rouait de coups tous les ennemis qu'il croisait, par-dessus le chaos de la bataille, Cornelia reconnut les cheveux bruns, les joues zébrées de vert et les yeux brillants de son bien-aimé. Même en soldat, Caleb avait l'air gentil.

Brandissant son épée au-dessus de sa tête, Caleb se fraya un chemin à travers la foule et réussit enfin à rejoindre Cornelia.

— Cornelia, dit-il haletant, je suis si heureux de te voir !

Cornelia allait lui répondre, quand Vathek intervint.

— À l'assaut, mes amis ! ordonna-t-il. C'est le moment !

Caleb regarda tour à tour Vathek puis Cornelia. Ses yeux avaient retrouvé leur ardeur. Il était prêt à combattre.

— Sois prudente, recommanda-t-il à Cornelia.

Puis, avec un sourire désinvolte, il se glissa dans la foule.

La voix stridente de Cedric ne laissa pas à Cornelia le temps de rêver.

— Ils se révoltent, votre Altesse !

— Je les détruirai ! gronda Phobos. Je vais

les anéantir tous, jusqu'au dernier ! À moi, sentinelles ! Écrasez ceux qui osent désobéir au maître de Méridian !

BRAOUMMM !

Cornelia tituba et se cogna à Will tandis que le sol grondait sous leurs pieds. Peu après, la terre se fendit et s'ouvrit pour livrer passage aux créatures les plus effrayantes que Cornelia ait jamais vues : un croisement entre des dinosaures et des robots ! D'horribles monstres aux masques rouges et aux yeux vides, qui se dressèrent sous leurs yeux comme des colonnes de pierre. Tout en eux était fait pour le combat : leur taille gigantesque, leurs casques, leurs armures en écaille de tortue.

Ils étaient des centaines. Dès qu'ils surgissaient de terre, leurs yeux lançaient de redoutables étincelles rouges.

— Des amis à toi, Hay Lin ? ironisa Irma.

— À vrai dire, en les voyant, j'ai cru que c'était les tiens ! répliqua Hay Lin.

ZAAAAM ! ZAAAAM !

On n'avait plus le temps de plaisanter. Les sentinelles avaient commencé à bombarder la foule d'éclairs rouges ! Une affreuse pagaille s'ensuivit tandis que les pauvres citoyens essayaient d'échapper aux terribles rayons.

Cornelia se rappela qu'elle devait d'abord sauver Elyon. Phobos, justement, pointait le doigt vers son amie.

— Maudite Elyon ! cria-t-il. Attrape-la, Cedric ! Ne la laisse pas filer !

Bien qu'occupé à se battre ailleurs, Vathek entendit ces paroles. Tout en maîtrisant un soldat, tandis qu'un autre l'attaquait par-derrière, Vathek fit volte-face et hurla :

— Emmenez la princesse en lieu sûr !

« Bonne idée ! » se dit Cornelia. Elle se tourna vers Elyon, qui s'en allait déjà, entraînée pas une femme aux cheveux roses et à la peau verte. Il s'agissait sans doute d'un Murmurant qui avait désobéi à son maître.

Cedric sauta de l'estrade et, bousculant Cornelia, il attrapa Elyon par le bras.

— Tu ne vas pas te sauver comme ça, fillette, grogna-t-il.

Elyon fronça les sourcils, tendit le bras et envoya sur Cedric un rayon magique blanc qui le frappa en pleine poitrine. Il poussa un hurlement.

— J'en ai assez de toi, Cedric! lança-t-elle, les yeux flamboyants de colère.

Puis, elle prit la main du Murmurant. La princesse et la belle créature rabattirent leur capuchon brun sur la tête et se fondirent dans la foule. En quelques secondes, elles s'échappèrent du champ de bataille.

Cornelia soupira. Son amie était saine et sauve. « Mais il reste encore des millions à sauver », songea-t-elle.

Elle aperçut alors du coin de l'œil un soldat qui fonçait sur elle, l'épée au poing.

Elle tendit le bras en avant. Un rayon magique vert jaillit de sa paume, et frappa l'épée, qu'il réduisit en miettes.

Comme Cornelia se retournait pour faire face à un éventuel attaquant, elle vit Hay Lin voler et souffler des rafales de vent glacé sur les soldats. De son côté, Taranee, plus rapide qu'une championne de base-ball, les bombardait de boules de feu.

Will, quant à elle, avait un ennemi plus puissant à vaincre.

— Vite, les filles ! cria-t-elle à son équipe. Ne laissons pas Phobos s'enfuir.

— Non ! répondit une voix déterminée.

C'était Caleb ! Il venait d'émerger d'une mêlée de soldats blessés et gémissants. Il leva son épée et déclara avec bravoure :

— Le prince, je m'en charge !

Sans un mot de plus, Caleb sauta sur l'estrade.

— Caleb ! ricana Phobos. J'ai beaucoup entendu parler de toi ces derniers temps. Alors, c'est vrai ! Tu te rebelles contre ton maître !

— Tu n'es le maître de rien du tout, Phobos ! Rien de ce que tu vois autour de toi ne t'appartient.

— Dire que tu n'étais qu'un pauvre Murmurant, Caleb !

Cornelia n'en croyait pas ses oreilles.

— Un Murmurant, confirma Caleb, mais qui réfléchit ! J'ai ouvert les yeux, et j'ai choisi mon camp.

Sans prévenir, Caleb donna un grand coup d'épée en direction de Phobos. La lame fendit l'air en sifflant, mais Phobos la détourna d'un simple mouvement de poignet.

Cornelia retint son souffle.

— Un Murmurant qui réfléchit est un danger ! cracha Phobos. Je dois l'éliminer !

Fzzaaaakk !

— Ah ! cria Caleb, touché à l'estomac par un éclair de Phobos.

La main au côté, il s'écroula. Cornelia poussa un cri.

Et soudain, elle ne vit plus que Phobos.

Sa cible.

Son ennemi mortel !

— Phobos a frappé Caleb ! cria-t-elle à Will, qui venait de briser net le manche d'une hache avec son avant-bras. Il faut l'aider !

Elle se mit à courir vers l'estrade. Maintenant, elle ne pensait plus qu'à Caleb, et elle n'entendit pas Will lui crier :

— Attention, Cornelia !

Elle eut l'impression de se mouvoir au ralenti. Elle regarda son amie et eut juste le temps d'apercevoir l'éclair rouge d'une sentinelle se diriger vers sa tête ! Plus moyen de l'éviter !

Elle se vit perdue.

« Caleb, songea-t-elle vaguement, Elyon… Heatherfield… Je ne les reverrai plus ja… »

— Ouf ! grogna-t-elle, le souffle coupé.

Will venait de la saisir à bras-le-corps avec toute la grâce d'un arrière sur un terrain de rugby ! Les deux Gardiennes roulèrent sur le sol. Un projectile passa en sifflant au-dessus de leurs têtes avant de se dissoudre en une fumée noire sans toucher personne.

Cornelia respira profondément en serrant de la terre dans ses poings. Elle ne comprenait pas pourquoi cette terre, son élément, ne l'avait pas aidée.

Mais sa force n'en restait pas moins intacte. Rassemblant toute son énergie, elle se redressa tant bien que mal et retourna se battre aux côtés de ses amies Gardiennes pour sauver la ville de Méridian.

TU NE T'ES PAS ATTAQUÉ À LA VÉRITABLE ELYON, MAIS À UNE IMAGE QUE NOUS AVONS CRÉÉE !
LES GARDIENNES !
QUE SIGNIFIE TOUT CECI ? OÙ EST ELYON ?
JE SUIS ICI, MON CHER FRÈRE !
OH ! LA PRINCESSE !
J'AI ÉTÉ TROMPÉ !
TU DOIS RENDRE DES COMPTES, PHOBOS !
CALEB !
BUMP
CORNÉLIA ! COMME JE SUIS HEUREUX !
À L'ASSAUT, MES AMIS ! C'EST LE MOMENT !
ILS SE RÉVOLTENT !
JE LES BALAIERAI TOUS, JUSQU'AU DERNIER !

À MOI, SENTINELLES !
DRESSEZ-VOUS ET FRAPPEZ CEUX QUI OSENT DÉSOBÉIR AU MAÎTRE DE MÉRIDIAN !
BROOOM
CE SONT DES COPAINS À TOI, HAY LIN ?
À VOIR LEUR TÊTE, J'AURAIS JURÉ QUE C'ÉTAIENT *LES TIENS* !
MAUDITE ELYON ! ATTRAPEZ-LA ! NE LA LAISSEZ PAS FUIR !
METTEZ LA PRINCESSE EN LIEU SÛR !
TU N'IRAS NULLE PART, MA PETITE !
!
JE NE TE SUPPORTE PLUS, CÉDRIC !
ARGH !

VITE, LES FILLES ! NE LAISSONS PAS PHOBOS, S'ÉCHAPPER !
C'EST **MOI** QUI ME CHARGERAIS DE LUI !
CALEB ! ON M'A BEAUCOUP PARLÉ DE TOI ! TU AS OSÉ TE RÉVOLTER CONTRE ***TON MAÎTRE*** !
TU N'ES LE MAÎTRE DE ***RIEN*** ! ***RIEN*** DE CE QUI T'ENTOURE N'EST À TOI !
DIRE QUE TU N'ÉTAIS QU'UN PAUVRE ***MURMURANT*** ! UN ***RÉPLICANT*** !
UN MURMURANT QUI RÉFLÉCHIT ! DÈS QUE J'AI OUVERT LES YEUX, J'AI CHOISI MON CAMP !
UN MURMURANT QUI RÉFLÉCHIT EST UN ***DANGER*** ! JE DOIS ***L'ÉLIMINER*** !
AAAHHH !
PHOBOS A FRAPPÉ CALEB ! IL FAUT L'AIDER !
ATTENTION, CORNÉLIA !
!

ARRIÈRE ! ARRIÈRE, OU NOUS VOUS TUERONS !
YAP!
AAAHHH !
ARGH !
WOOOOSH
CES GENS ONT BESOIN DE NOUS, TARANEE !
OUCH !
FWAM
MERCI POUR TON AIDE, WILL !
CE FUT UN VRAI PLAISIR, CORNÉLIA ! JE SAIS QU'À MA PLACE, TU...
SZZZZAAK
RAAARGH !
?!
BLINK
... EN AURAIS FAIT AUTANT !
AÏE !
RATACLANG
CLANG

TES SOLDATS NE POURRONT PAS ARRÊTER LA RÉBELLION ! NOTRE VICTOIRE EST PROCHE !
POSSIBLE. HÉLAS...
... TU NE VIVRAS PAS ASSEZ LONGTEMPS POUR T'EN RÉJOUIR !
AAAAH !
TU AS ÉCHAPPÉ À MON CONTRÔLE. TU AS PRIS LA TÊTE DES MUTINS DE MÉRIDIAN. TU LES AS UNIS. TU LES AS DRESSÉS CONTRE MOI...
AHHHH ! ASSEZ !
POUR TOUS CES ACTES, JE TE CONDAMNE, CALEB ! JE T'AI CRÉÉ MURMURANT...
NNNNN...
... ET MURMURANT, TU REDEVIENDRAS ! MAIS SOUS TA FORME INITIALE !
CALEEEEEB !

OH NON !
NON, PAS LUI...
IL EST LIBRE, CORNÉLIA.
SEIGNEUR ! LA RÉBELLION S'ÉTEND ! IL FAUDRAIT MOBILISER TOUS LES SOLDATS ET TOUTES LES SENTINELLES OBSCURES !
JE RENTRE AU CHÂTEAU ! RASSEMBLE NOS FORCES...
... ET EFFACE CETTE CITÉ !

TOUT CELA...
N'AURAIT JAMAIS
DÛ ARRIVER.
JAMAIS...
POURQUOI ?
"POURQUOI ?"
FIN DE
L'ÉPISODE

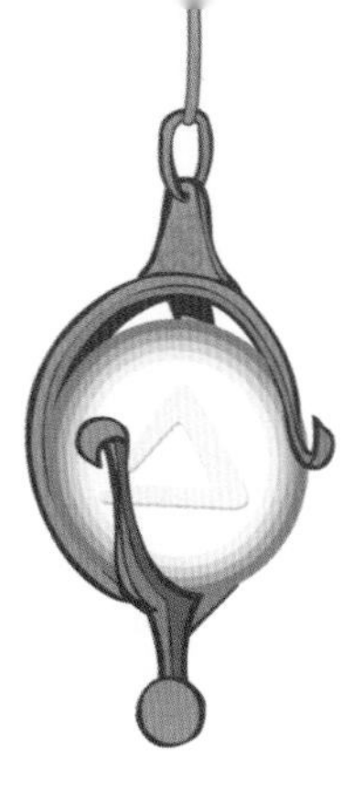

Retrouve les **5** *Gardiennes de la Muraille, Will, Irma, Taranee, Cornelia et Hay Lin dans le prochain épisode de leurs aventures :*

Le retour d'une Reine